KB198103

첫
사
랑

작가의 말

시집과 명언들과 운명에 대한
글의 책을 내면서

저는 학교 교육을 초급대 교육 수준의 강국성(초등교사) 형님의 책 모두를 배워서 초급대 교육 수준을 공부하였습니다. 그리고 영어 6000 단어책 모두를 98% 이상을 배웠고, 한문 3200자를 배웠고, 한문서 - 동몽선습, 명심보감, 논어, 손자병법, 사자성어, 역경, 역학책들, 풍수지리 책들을 배웠습니다.

이 책 시집의 첫 글, 첫사랑은 저의 독창적인 첫사랑을 묘사한 것입니다.

모쪼록 이 책을 구입하는 분들은 많은 다양한 내용의 시(詩)들과 명언(名言)들과 역학 내용들을 잘 살펴 읽으시면 마음의 좋은 양식과 지식이 될 것입니다.

2022년 5월 22일 - 강성근 書

목차

명언(名言)들과 역학

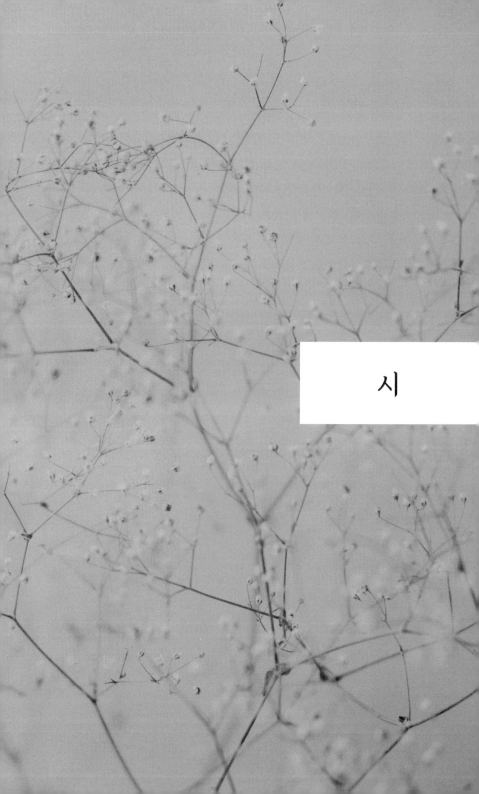

시

첫사랑

어느 날 문득 찾아와 마음에
종을 울립니다
기억도 거센 울림이 되어
마음의 파도에는
긴것 큰것 높은것
허공에라도 아름다운 수를 놓아 갑니다
부르면 님 귀에 닿을 듯
부푸른 꿈 안고
편지지에는 정성들여
아름다운 글귀 맞춤법에는
사랑을 듬뿍 담아 한 자 한 자
써 내려 간답니다
하루하루 미숙함에도

내일에는 숙제를 하듯
긴긴 밤날에는 새 희망을 품고
그 님과 나 아직은
어리고 어린 새싹을 키우듯
정성으로 보듬어
먼 훗날에는 닿을
마음속 사랑을
살포시 키워 본답니다

2021. 7. 8.

고백

뾰족뾰족 푸르른
갓 올라온 잎새이고 싶어
마음속에 묻어둔 말들
하나하나
언젠가 끄집어낼 수 있을까요
지나온 기억
같이했던 약간의 마주침에도
많은 이야기는 되어
묻히고 또 묻혀 있어도
고백이란 입가에만 맴돕니다
하나둘
새롭게 피어나는 꽃
쌓이는 마음
언젠가는 같이할 세월에는
속마음도 같이 할
세상의 풍경에
따스한 빛 비추어
님과 나 장벽의 푸른 물결
사이로
헤치고 헤집어 나아가

한 쌍이 되는 그 훗날에는
마르고 차곡차곡히 고인
많은 말들
님 손 꼭 부여잡고
추억의 이야기들을
많이도
고백해 그리워만 했던
마음속 길에
꽃이 피듯
축복된 밝음을 한껏 비추어
드리겠습니다

2021. 4. 15.

얼굴 맑은 옥

부슥부슥 맑은 세숫물에
물방울 일어 간밤 잠에 모습을 빚는다
여기저기 피곤한 흔적들은 소망에 꿈
닿을 줄기찬 마음의 숨결이다
피어오르는 김 퍼지는 출렁거림이
오늘의 출근을 기다린다
샛별 받아 총총히 모았던 소녀의 가을 별빛 아래에서
소망은 이제 달리고 달려 맞닿을 고향 품의 성공함에
쓰여질 기록함에 넣어진다
주렁주렁 토끼 같은 어린 둥지 보이듯
이날에 하늘이 출렁인다
까아만 가슴에 불식(不息)의 명찰은
작은 반딧불 비춤에는 긴 그림자 담고
보랏빛 청춘 밀려드는 삶
하나하나에 길고 긴 삶에 드리움은
계곡에 길었던 익힘들에 피곤했던 여정(旅程)은
가벼운 물결 되어 세차게
내 마음을 때려준다

2015. 6. 1.

노을

먼 저곳
지평선 하늘 닿아
불그레한 대지에 비친 아련한 빛
마른 풀잎들 사이로 황토빛 땅
기억의 그림자는 늘어지고
땅거미 내려올 때 조금씩 밀려
앞까지 뒤로 마지막 산등성까지
긴 노을에 테는
산마루에 서서 너와 나 마음에 피는 꽃도
함께 어울려 높이
샘솟아 치솟는다
마지막 남은 기억에는
하루의 추억 속 삶의 새 새싹의 씨를
져가는 긴 노을
밀려드는 밤 그림자 먼 밑에
고이고이 간직한 아직은
꺼지지 않은 마음속 남은
참사랑에 불씨마저도
깊게도 묻어 준다

2022. 2. 15.

한 가지

바라보는 것 아닌
가슴속에 품은 한 가지
꽃 냇물 이슬
지나간 초록색 마음의 바탕
울렁일 때도 출렁일 때도
한 컷을 잡고 서듯
아픔의 메아리는 저 멀리 뒤로
모종의 기쁨은 앞으로
밀고 떨어지고 나아가는
마음의 한 가지
여러 갈래가 도래쳐도 꼭 지은 손에는
누구를 위한 생각이 닿아지는 것
한 가지

다음에 빛을 보아
그리운 이의 생각에 발 모아 서서
기다리는 뜻
한 가지
모습 심정 애뜻함이
미래에는 살아 이어지는 상상에는
고달픈 사랑의
여운의 그림자를 한 가지
길게 드리운다

2022. 2. 6.

단꿈

한차례 지나쳐 비가 오듯
마음에 눈물이 내린다
밤에는 어디선가 소쩍새 울음소리
임과 나의 만남에는 매끄러운 즐거움이
자리 잡았다
하나 둘 세어보는 숫자에는
행복의 증표
미래에 자녀의 이름들 놓여보고
골라보면 두 명에는 합의표가 맞닿는다
오늘의 그리움은 내일의 짙은 그리움으로
마음속 뜻이 닿아 행복의 꿈 되어
같은 방향으로 하늘을 우러러 보며
부끄러움도 없이
길 위에 놓인 마음 생각에는
단꿈에 님 나의
몸에는 새 옷이 되어 깊게도 젖는다

2021. 12. 25.

누군가

아침 이슬에 누군가
묻힌 얼굴
피어오르는 기상에는 힘찬
젊음이 묻어난다
안개에는 그 모습
비밀 되어 간직되지만
떠오르는 태양에는 보여질
누군가
불어오는 바람에 걷히는 안개 사이로
누군가 옛 모습 미소가
날 밝은 거리에 오른 이들의
바쁜 생활 속에 가득 비추어진다
그리움에
지난 생동감 꽃피울 때는
누군가
마음에 핀 한 송이 순결함 넘친
간직된
참 꽃이었다

2022. 1. 7.

글(文)

작고 크고 한 획에는
의미(意味)는 세상에서 어둡고 밝고
높고 낮고 큰 힘에
문장에서 뻗는 것이다
어디에선가 밝은 동녘 비칠 때
산 아래 초가(草家)에서는 등불이 마를
틈새바람 지쳐져 오면
마음을 정(正)히 가다듬습니다
불빛 반디빛 먼 곳이라도
장(章)이 닿는 곳
손에는 까만 먹물에서도
설은 문장은 다음날 햇빛에서는
잊음은 달아올라 긴 세월에 담은
기억에 일들
흐름에는 그 참(眞)만이 곱게 남겨집니다
많은 아래에서는 닦여진 길

도리를 다한 글 나무판에도 서책에도
남겨진 민가에도 활짝 봉오리에
밝은 익힘에 도리(道理)를 다합니다

2014. 10. 5.

☆노력은 순수 그 자체가 기쁨이 되고
그냥 얻은 것은 그 참 진가를 잘 알지 못한다.☆

2014. 10. 6.

동네 갓바위

어릴 때 청초(淸初)히
마음을 간직하고 걸터앉던
갓바위
종종 세월이 흘러도
모진 비바람 큰 풍수(風水)해도
이겨 내어
우리들 조막들 어린 마음에
꿈과 힘을 불어 넣어주는
그 갓바위
크고 웅장함에는 설레이는 어린 꿈
미래 꿈을 회상(回想)케 하는
무언의 힘
긴긴 세월에도 항상 그곳을 지켜
어린 마음에는 꽃동산
나그네에는 길동산
지나쳐 보면 아름다운 꿈
서려 있는 그 갓바위
큰 장마가 몰아쳐도 항상 그곳을 지켜
친구들의 우정을 생각게 하고
명절 짝지어 노래하는 놀이터로도

이용됐던 그 갓바위
미래 꿈 미지의 세계를 꿈꾸게 하던
무언의 그곳 그 갓바위
오늘날쯤에는
발전 댐 때문에 길잃은 철새처럼
묻혀 있지만
허공에서라도 상상 속에는
항상 그려지는 어린 마음에의 꿈동산
미움과 사랑과 미래의 꿈들이
점철되던 또 보고픈
어린 꿈의 산물 소생(所生)이었다

2021. 12. 19.

옛 소리

팅 팅
한 개의 음률이 세간에는
몸으로 춤을 춘다
덩거덕 덩거덕
아낙네들 가락 맞추어
높낮이에는 감응되어
여기저기서 이루어지는 춤사위들
음계 가락에는
멀리서도 흔들리는 바람이 된다
이고 들은 물동이에도
파장 일며 삶의 영혼이
물동이 사이에서 고요히
출렁출렁
센 음률이 올 때면
작은 파도가 힘든 머리 위에서
가락 되어 마음껏 나부낀다
옹기 솥

하이얀 수증기 흔들리는
먼 소리에 길을 잃을까
손짓하는 하늘을 향하고 지나온
매움도 이날 길이 포상되어지는
음률에 아름다움이 널리
보고 듣는 이의
심장에라도 꽂혀 기쁜 삶에의
새로운 맛
가락의 절정에는 토끼 귀 되어
한 가락 두 가락
님 나의 마음에도
참 소리에는 닿은 귀 또
아름다움에 더 닿는다

2021. 12. 15.

오늘날

윙윙
찬바람은 옷깃을 여미며
하나둘 옛 생각이
새록새록 난다
하늘에서도 마음을 선사하여
밤 달이 밝게 비친다
한 걸음 두 걸음 내칠 때
그리움에 쌓인 님
지금 하늘을 보며 별을
세고 있을거나
모진 끈은 이어지고
멀리 있는 공간 사이로
긴긴 사랑도 싹 틔운다
오늘날
과거에는 그리움에 녹고 쌓인
연정(戀情)
시간은 다 되어
만날 날이 될 날
허공에는 많은 하트가 그려지고
님 사는 곳까지

이 달밤 축복으로 전해지리니
한 삶에 지치움도 깨달음 얻어
이렇게 공간 사이에서
마주하며 긴 그리움을 씻는다
오늘날
잊지 못한 님 마음 내 마음
저편 멀어도
떨어지는 빗방울 되어
녹아내린 짙은 사랑의
그림자
먼 허공 사이에 둘의 아름다움에는
남은 애정이 길이길이
오늘날 님과 나
매듭지어
긴 기다림에 약속의
날 되었다

2021. 12. 15.

참사랑의 목적

하나가 있고 그 곁에
빛 하나가 있다
무얼까 고를까 순간순간
밀려오는 고독처럼
참 하나를 찾는다
어둡고 긴 터널처럼 작은 빛
하나에 의지하여
마음에 보물을 찾는다
님 것 내 것 고를까에
의미를 두지 말고
먼저는 님 것 다음에는 내 것
세상에는 단 하나의 소중함이
깃들인 순결함이 응집된
맑은 수정처럼
깨끗함에
마음의 빛 닿아

결정에는
한점 의심함이 없이
정성과 온 마음을 담아
늦춰짐 없이
생각의 결(結) 밀어
흐르는 물결처럼 고웁게 택한다

2021. 12. 5.

나의 개발작(予의 開發作)

밀려드는 과정이 파란 물결 되어
솟구치는 파도에 지치고 잠긴 옛 생각에
기쁨 드높인다
옛 세월 간직했던 일한 꿈
지난밤 얇았던 이불 뒤척인 꿈에는
도화선이 되어 다시금 세상에서
빛을 본다
팔고 팔고 허기진 세월 힘에 겨운
겹치기 세상사에는 우리일 합치어 깊게도 구운
미래 빛 희망이 세상 한(恨)에는
짐수레를 이끈다
보고 보고 먼 옛날에는 없던 물(物)
잃음이 많은 기록은 새 삶들 터전에서
보는 이의 길 닦아 영영(永永)하게
생(生)의 터전을 잡는다

"시련은 참 인생의 중요함을 알게 하고
과거 또한 미래의 얼굴이 된다."

2014. 10. 7.

"발전된 미래는 오늘부터 한 걸음씩만이라도 뛰어라."

2014. 10. 7.

바람처럼 찾아온 물결

횡하니 한쪽이 빈 것 같은 가슴에
날아든 새
무슨 생각이었는지
따스한 품이 그리웠나 보다
세상은 깊기도 하고 넓기도 하지만
진정한 인연(因緣)은 하나로
되었나 보다
삶에는 풍파도 고요한 평온도
그때그때 스쳐 가는 빛
순간의 빛이 너와 나에게는
또 다른 연(緣)이 되어 행복의 문(門)이
되는가 보다
그리운 님 그리운 벗
한 순간의 무지갯빛이 하늘을
잘 수(繡)놓아
님 나 또 벗의
마음속에서는 영원히 꺼지지 않는
밝고 고운 참 빛
싹트는 사랑이 되는가 보다

2021. 10. 13.

"생각하라, 그러면 이로울 것이고
세상에 남겨질 것이 꼭 있을 것이다."

2014. 9. 13.

"마음에 신념을 가져라,
그러면 나쁜 길에는 안 빠진다."

2014. 10. 8.

"열정에는 그 사람의 진심이 담겨 있고
노력하는 자만이 행복을 얻는다."

2014. 10. 8.

그림자

지나온 시간들에 삶이
묻어 있는
한 생애의 빛
흘러가는 강물도
사계절 바뀌는 산들도
마음에 소유(所有)였던 옛일
콩콩거리고 바삐 뛰었던
삶에 일과는
세어지는 숫자만큼이나 많고 많은
그림자를 남겼다
크면 큰 대로
작으면 작은 대로
속속 남겨지는 발걸음의 옛 자취를
남긴 그림자

세속(世俗)의 세월에서
마음에 불붙은 애정(愛情) 삶의 노력들이
거울(鏡)같이 비치는
봄 여름 가을 겨울
일기장에는 그날들의 기록들이
산실(産室)은 되어
빼곡히
길고 긴 참(眞) 삶에 많은
여운(餘韻) 남겨진
긴 폭 비치는 그림자 되었다

2021. 11. 13.

늦가을

쌀쌀한 바람이
스카프 감싼 목을 헤집는다
거리에는 은행나무 느릅나무들
노랗게 단풍들어
오가는 이에 마음에
늦가을에 정취(情趣)를 한 점 찍어놓고
다 낡은 신발 위에라도 삶의 시(詩)를
수(繡)놓는다
어디엔가 종소리
기적 울림 같은 손은 모아지고
미래에 소망도 마음에서 빌어본다

쌀쌀한 바람
얼굴에 맞닿아 느낄 때는
옛날 순수했던 첫사랑의 싹도
구르는 단풍잎들 사이로
아련히 생각에는 깊게 잠기어
저녁노을 긴 여운처럼
내 앞에
다시 또 잔잔히 흐르는
미소가 되어
이 늦가을에는 정취(情趣)되어
다가온다

2021. 11. 5.

이불(寢具)

어수선한 발 통통한 날
보송보송 틀여진 솜 사이로
지난 가을빛이 창가에 달
그림자를 살갑게 붙든다
아침이 오나
한결 추어진 저녁 햇살이
나무 응달 사이에 묻힐 때
오솔오솔 떨림에는 그 솜빛
그리운 내 마음이 젖는다
동장군 무서울 시간들
이끼들이 제 모습 감출 때는
어디엔가 한 자락 포근한
물결에 막혔던 숨

따스한 삶에는
많은 회상(回想)으로
너와 나 앞에 다가온다
쌓인 그리움에 옛 자취는
보금자리 밑에 고요히 묻고
자라온 사연들 많이 많이
모아서
지쳤던 세상살이
가슴속에 많이 끌어안아서
참 삶이 싹 틔우는
하얀 솜결 사이에 긴긴
기억들을 잠재운다

2014. 10. 1.

생명(生命)

연장 선상에서 구워진
조각 같은 흰색 피부에는
애처로운 눈물이 지난
과거의 행복 이룸 슬픔을
보는 이의 귓가에 전한다
꺼져가는 희망에 말씨
힘없는 도란도란 목청에는
인생의 전성기가 못난
춤을 추며
뒤돌아보는 장(場)에는
진솔한 풍요로움이
색다른 빛으로 마음 앞에 다가온다
우는 꾀꼬리
지나온 세상 잘한
기록에 손길 뻗으며
애처로운 떨리는 파생은
가을 달빛에 스쳐 가는
외로움 짙게 배어 흐른다
산등성이 늦은 녹색

다 헤어진 꽃잎 사이에
갓 지나던 구름 몇 방울
빗방울은
한 세월에 못다 한
나그네에 정취를 깊게도 회상하며
남은 삶 이뤄준다

2014. 12. 25.

보고 싶은 얼굴

쌓이는 그리움에는
동심(童心)까지도 일어
선이 그어지고 점이 찍힌다
오똑한 콧날 둥근 얼굴 토끼 눈망울
닿는 선에서 감각이 채워져
많은 상상의 나래가 화선지(畫宣紙) 위에
펼쳐진다
완성되어진 그림
수줍은 모습 청초(淸楚)한 모습
어설픈 미인도(美人圖)이다
마음속에서 그린 보고 싶은 얼굴
님 모습이 한 세상에 나와
이렇게 기다리는 그리움에는
밝고 맑은 모습은 되어 고운 웃음 빛을
길게 남긴다

2021. 10. 3.

묵향

한 번의 점(點)에도
배어 나오는 은은한 향기
옛 세월에서도 그 느낌은
또 다른 느낌을 지닌다
시(詩) 서화(書畵) 물든 비단천까지
지나온 세월 무게에는
짙은 묵향(墨香) 내음
은은함이 귀가에도 맴돈다
민초(民草)의 글귀라도
잊음(忘)과 달리(別)함 없이
향상 그 지닌 보배의 향(香)은
천년의 세월이라도 뚫고 지나간다
오늘 내일에 고사리손이라도
한번 쓰여진 획(劃)에는
그 가치 담아 먼 곳까지라도
묵향(墨香)의 기운을 전한다

2021. 9. 22.

미련

화초(花草) 같은
옛 님 모습이 파도처럼
저 너머에서도
유리알 같이 일렁인다
한번 온 축제(祝祭)
짧았던 인연(因緣)
보고픈 세월에는 무언(無言)만이
빛바랜 깃털 되어 세상에는
나부낀다
밤새 모였던 영롱한 이슬
방울방울
아침 햇살에는
못다 핀 꽃송이에 빛 되어
새 시작을 알린다

짧았던 맺음 다시 올 날
긴긴 밤낮에 묻었던
모진 그리움 냉(冷)가슴에는
참 새싹 되고 기르고 꽃피어질 날
내일의 소망(所望)은 되어
지긋이 마음을 한 켠 열고
삶을 기다린다

2021. 9. 24.

바람결

한번 흘러 왔다가
나를 흔들어
모르는 것에 삶(生)을 느끼게 하고
다음 한번은 님을 흔들어
삶(生)의 소식을 알린다
두껍거나 얇거나 치우침에는
모진 삶 고요한 삶
변곡점(變曲點)에서는
한 틀 되어 사랑에 느낌으로 마주한다
앞서거나 뒤서거나
늦음이 도래쳐도
스치듯 흔드는 바람결 마음에는
사랑의 본(本)이 샘솟아
손을 맞잡고 힘을 보탠다
먼 곳에서 온 부는 바람결
가까이 마주 앉아
미소가 흐르는 잔잔한 얼굴에는
지난날의 모든 추억(追憶)이
한없이 설레어 어린다

2021. 9. 3.

믿음

가다가 또는 엎어져도
일어난다는 그 어떤 느낌
마음에는 항상 새겨져 있는
믿음(信)이지요
어느 때 계절이 바뀌어도
강풍이 불고 매운 눈보라가 쳐도
삶 안에서는 항상
존재하는 그림자랍니다
때로는 힘든 슬픔이 쌓여도
좋은 버팀목 되어
삶에 희망을 노래하고
곧은 심지(心志)를 이끌어
다음 일 또는 학업에
생꽃(生花)처럼 뭇 발판에는
밝고 고운 참 힘(眞力)이 되어
너와 나 가슴 속에서
영원히 자라나는
화초(花草)가 된답니다

2021. 8. 13.

대상(對象)

눈 한번 감고
잠기는 생각 속에 떠오르는 님
귓가에 맴돌던
주고받던 모난 글씨는
한낮의 태양 되어 마음속에 푸른빛
넘치게 합니다
자르고 잘라서
모자란 것 이어 맞추면
긴 삶에 한 부분은 가득 차고
힘껏 밀어내면
짙은 그리움은 찾아온답니다
어느 때는 서투른 말씀 글씨들도
메워지는 날
많은 모양은 바뀌어서
작은 싹을 틔워
사랑이 되어 맴돈답니다

가고 오는 정(情)
하늘 사이로 많게도 멀고 멀지만
그 길 언젠가 닿는 날에는
참 기쁨 찾아온
축복의 잔칫상에는
못 닿은 정(情) 쌓은
하얀 떡 색색의 과일들이
님과 나의 자라나는 꿈
소망 이루어 줄 영원한
행복(幸福)의 문이 된답니다

2021. 8. 27.

동반

빛바랜 문풍지처럼
바람에 떨고 추위에 몸서리치며
하나가 되기 위해
그렇게 세월은 흘렀나 봅니다
먼 하늘에 구름은 차일(遮日)되고
새들의 지저귐 노랫소리는
축복의 기도 되어
그렇게 한 인연(因緣)은
맺어지나 봅니다
한 사람 무거운 짐 질 때
한 사람은 중심에 참 지팡이 되어
그렇게 또 반려(伴侶)에
길은 걸어가나 봅니다
중요(重要)함에서는
서로의 몸 마음 생각이
동일인(同一人) 되어
풍운(風運)의 거칢에서도
밟을 발판은 되어
그렇게 또 일어나 봅니다
먼 훗날 한없이 지난 세월에는

하얗게 물들어진 머리칼에
서로는 마주 보며
긴 미소의 잔잔함이
동반(同伴)에 함께 걸었던
긴긴 발자취의 여운(餘韻)을
먼먼 날 닿는 날까지
그렇게 길게도 남기나 봅니다

2021. 8. 23.

빗방울

맑은 빛 살짝 튀어
톡톡
처마 끝에 매달렸다 잠시
아쉬움만 남기고
땅으로 폴짝
잃은 생명에는 빛이 되었다
뒤뜰에서는 작은 꽃밭
시름에 젖은 꽃들은
손 벌려 팔 벌려
한 방울씩 한 방울씩 머물며
예쁜 생기(生氣)를 되찾는다
누군가에 오늘도 도움 되고
잃음을 찾는
생명의 빗방울

내일의 희망에는 넘과 남을
구분치 않고
작은 몸 잘 부수어 삶의 아름다움에
봉사한다
다음 날에 또 들 산천에서는
목마름에 기다리는
나무 풀 새싹 들에
참 생명의 빗방울 되어
절취(節取) 선의(善意)한다

2021. 8. 8.

짐

무겁거나 가볍거나
타고난 삶에 걸어야 하는
길이랍니다
때로는 버거워 벗어 버리고픈
하나에 일 사명(使命)이랍니다
미래에 좋은 싹을 얻고자
항상 마음에는 거두고 있지요
깊은 삶에도 같이 생각하고
이루고자 하는 소망에는
갓 친구 되어 같은 길을 걸어요
언젠가는 꽃 피울 때 무거운 짐에
기쁨은 샘솟고
열매가 맺을 때는
놓아도 되는 가벼움이
자리를 잡는답니다

한세월 세상에 묶여진 나의 짐
어깨에 참 고웁게 받아들여
그간의 정(情) 노력이
못다 핀 이름에는
잘 새겨진 조각이 되어
훗날에는 토실한 열매 맺어
다음 생 또 다음 삶까지도
길이 뻗어 어두움에 길 밝혀주는
아름다운 별이 되어 보아요

2021. 8. 3.

님의 이름(郎名, 娘名)

깊이 간직한
마음속에서 피어나는 꽃입니다
어디를 가나 앉으나 서나
항상 달빛 별빛 같은
그림자
믿고 의지하고 불러 보고픈
소중한 보물입니다
먼 곳에 있을지라도
마음 곁에서는 또 살고 있지요
불러보면 닿을까
소리쳐 보면 곧 닿을까
마음에 회오리는 되어
깊은 상상의 나래를 펼치지만
마음 안에서는 또 하나가 되어
살고 있는
님의 이름은
하얀 물결을 고웁게 비추는
등불과 같은 존재랍니다

2021. 7. 25.

인연

그대는
바람이 스치듯
한순간 다가와서
이어지는 물결이랍니다
어떤지 어디에 있는지도
알 수도 없다가
피어나는 꽃 한 송이처럼
기억 속에는 울림을 주며 닿는
하나의 끈입니다
피어오르도록 깊고 깊어지고
쌍둥이처럼 되어지는 날
가슴 한 켠에는 사랑이라는
행복함도 자리를 잡는답니다
길고 길었던 멀고 멀었던
기다림에 지친 삶에게는
한 술의 밥 또 한 그릇의 물
아침 햇살이 떠오르는 동녘(東)의
마음속 긴 빛이랍니다

2021. 7. 14.

두 개의 길

발길이 걷다가 멈추어지며
셈을 하듯
침점이라도
손바닥에 침을 뱉고 탁 치면
오늘의 갈 길에 모양새 잡힌다
하루 이틀 사이에는
변화된 만물(萬物)도
마음속 엉켜짐에는 실타래를 풀듯
여기저기
새 꽃 새 줄기 새 잎새
이것은 오늘에 내 삶을 얼굴이듯
본받고 또 나아가고
두 개의 길 위에서
많이도 헤매었던 마음 이지러움

꿈꾸었던 소망(所望)에는
다 걷어
결정된 한 길 위에서는
오직
다음날에 피울 꽃에
많은 새 희망을
걸어 봅니다

2021. 6. 20.

덕(德)

한장 한장 쌓아가도
한순간에는 이루지 못하는
그대는
삶에 기억 노력 꿈
대중에는 만남 어우름
꽃피울 날 그 깊이는 그리고 높이는
항상 저 너머에 있다
오늘 또 내일에는 얹고 쌓아도
눈에는 보이지도 않고 귀에도
들리지도 않지만
그대는 언젠가 내 삶에 그리운 이름으로
다가올 것이다

멀리서는 손짓
가까이서는 희미한 등불
노력의 끝에서는 참 결실 이루어져
황혼(黃昏)의 세상에서는 빛 보는 날
그대는
또 다른 이름으로 내 삶 속에
깊이 새기어져
하나에 밝은 등불이 되어 비추어질
것이다

2021. 6. 23.

삶

한낱 모래알이 나부끼듯
인생의 갈림길에서는
한순간에 회오리치고
어두움에는
발길마저 허공에 딛는다
연민(憐憫)의 굴레와
원망(怨望)의 굴레를
모두 벗고 나면
참 모습
그 모습 되어
가벼워진 새털 같은 환상으로
아름다운 석(石)을 얻는다

2021. 5. 27.

인생의 행로

나 못 떠나는 길
붙잡는 사람들
만남에는
청춘도 인생까지도
녹아있는 삶의 길이었습니다
고달픈 날
모질었던 보릿고개는
또 하나의 깨달음의
여정(旅程)이었습니다
태워도 태워도
아직은 남은 길
저편에서는
손짓하는 희망의 유혹이
나를
다시금
힘차게 도약(跳躍)하게
합니다

2021. 1. 24.

그리움

밀물처럼 쏟아져 들어온
흰 물결이
수북수북 쌓여있는
마음의 동산에
한껏 후드러 치고
긴 고뇌에서는 잠이 깨었다
한 사람을
사랑하는 마음도 잊음이 도래칠 때에는
가슴속 회오리가
더 큰 장벽이 되어
막고 놓치지 않으려 애를 쓴다
깊은 바닥에는
상념(想念)이 애모(愛慕)가
여러 가지 줄기 되어
그리운 그 빛
그 미소

창백한 얼굴까지도
가슴속 깊이 간직된
사랑하는 마음이
그칠 줄 모르는 빗줄기 되어
찬 공기를 가르며
또다시 흰 봉우리 되어
다음에 피울 꽃망울에
더 깊은 기억으로
점철되어
뇌리(腦裏)에 맴돌며
우수(憂愁)에 잠긴 마음에서는
다시 또 긴 인생길
여행에
그리운
몸을 의탁해 보옵니다

2021. 6. 6.

이별의 여정

삶 속에서 네가 보인다
웃고 있는 얼굴
꽃 같은 마음
세월에 휩쓸려도
항상 그렇게
마음에는 빛이 되었다
쌓았던 정(情)
묻고 묻어도
울려오는 그곳
종착역
심장에는
밀려오는 그리움에
너를
다시 보고 싶다

2021. 1. 20.

뒷산

눈설 폭풍에
여기저기 꼿꼿한
푸르름
하얀 모자 덮어씌우고
내쳐진 세상에서는
절개를 지킨다
오르는 손님에
청(淸) 기운 주오며
어서 오라 손짓하네
삶에
상처 입은 마음들
웅장한 장(長) 앞에서는
씻기고 비워지고
긴 세월에
청빛(靑光) 드리우며
오 미리 가슴에는
새 희망
싹튼다

2021. 2. 1.

어머님

호롱불 아래에서
한땀 한땀
광목 적삼에 바느질 기우시며
밤새 별들과 벗하시고
문풍지 바람에
긴 밤 하루를 지키시는 어머님
세월에는
묶은 소설의 보따리
삶의 덩어리가
인생의 이야기 되어 들려주신다
낡은 물건들도 애지중지(愛之重之)
새것에도 등 돌리시며
자식들 귓가에는 언제나
밝은 삶
참된 인생길을
몸소 가르치시고
무한한 사랑에는
함께 가고 걸을
참 열매의 영원한 수(繡)를 놓아 주시는
그 이름은 어머님

2021. 1. 24.

님 생각

생각이 깊은 날은
마음속에서 시를 쓰고
고독한 날은
떠나가는 님 그림자를
명상 속에 머물게 했다
아련한 추억 속에 그리움의 빛은
하얀 색깔일까
고르고 골라 든 것이
이름 세 글자
지나온 삶에 무게에
건진 것은
경험이라는 아름다운 빛
그 자체였다
세월이 또 가도
그때의 기억 속에 머물러 있는
속삭이는
님 목소리
생각 속에는 아직도
잊혀지지 않는
황금빛 노을입니다

2021. 3. 11.

친구

세상살이에
배타(排他)적인 생각 속에서도
언저리에는
따스한 기억
떨어져 있어도 그리움-
그대는 내 마음에
긴 자리를 잡았네
한 잔의 술
시대의 토론
높낮이 없는 저울
믿음과
한 세상을 같이 한다네
아니 불러도 언젠가는
다가오는 그림자

발길 닿는
곳곳
미래에 싹 트이고
한 역사관 속에서는
같은 방향으로
회오리치는
그대는
오롯이 진정 마음의 터전
죽었어도 다시 불러 보고픈
그 이름 친구일세

2021. 1. 28.

나룻배

한순간
오고 가는 인연이
닿아—
짧은 이야기들이
세상을 풍자하고
못다 한 소식들을 전합니다
비바람 눈설
사계절 밟히고 찢기고
나그네 발걸음에는 오직 길이 되어
팔 물건 살 물건 쌓여
미지의 세상에서는
비치울 포부(抱負)—

무겁거나 버거움에서도
살뜰히 보듬어
님 나 객(客)
오고 가는 선상
그 자리 그 길
언제이거나
길손(路客)에게는
한 가닥의
환한 등불이 되어
준답니다

2021. 2. 2.

새벽

닭 소리가 꼬끼오
멀리서 먼동이 튼다
새벽 공기가 바람을
타고
창문을 비집고 들어온다
온갖 세상의 내음이
가슴을 설레게 한다
오늘 할 일이 메모장에
나열돼 있는
글자들이 활동의 심장이다
이 닦고 세수하고
샤워하고
출근길 가방에는
새로움이 가득 찬
설계의 동력 힘찬 구도의 일들이
오늘의 삶이 되어 서려 있다

찬 공기가 뺨을 스치듯 때려도
상쾌한 기분은 이 새벽에 맛볼 수 있는
하루의 시작
과일 같은 존재이다
오! 새벽
간밤의 꿈은
모두 이 새벽 세상에서의
꿈틀거렸던
어려웠던
참 삶의
아름다운 꽃이다

2021. 2. 8.

안경

어두운 세상에
돌을 던진 꿈
안경
복잡한 거리 풍경에는
신선한 초록 가로수가
그나마 위안이 됩니다
어디를 가서나
나의 앞에서는
지팡이 되고
세심한 글씨의 아름다움도
빛의 사각에서도
보금자리 삶을 밝혀 주지요
제이의 생명
그 이름은 눈
네 등 뒤에 서 있는 나는
너를 끌어안고
암울한 어두움에
밝은 생명을 던져준 고마움에는
맺혀버린 눈물
한 방울

마음속 깊은 곳에서는
열망에 삶의 소용돌이가
너를 통해서는
밝게 나타난답니다
오직 사랑이 감싸 안듯
어두움에 그림자도
열매에 맺는 아름다움까지도
소중히 보듬는
이 세상에서는
없어서는 안 될
소중한 선물
고귀한 보물
하루에도 열두 번은
참된 생명이라고
말하고픈
어두움에 찬란한 등불
소중한 마음의 창
또 하나의 분신
그 이름까지도 사랑스러운
제이의 눈
안경 안경이랍니다

2021. 3. 15.
〈옛 사주 본, 오순영에게〉

미래

환상(幻想)과 꿈이 섞여서
파도처럼 밀려왔다 가고
또 밀려오고
잡힐 듯하면서도 잡히지 않는
그곳은 먼 날
아름다운 행복이
그곳에는 있다고
자꾸만 생각 속에서는
되뇌어 봅니다
허공에라도 뻗은 손으로는
휘어잡고 휘어잡아도
아직은 모든 것이
떠도는 구름으로만 남네요

지금은
나에 손을 잡고 같이할
연인(戀人)에게는
삶에 무게보다도
미래의 꿈에 속삭임이
크게 맞닿아
그날만을 위해
성공과 행복을
이룰
숨은 욕망에는
남은
짙은 불씨를 지펴 봅니다

2021. 3. 16.

손(手)

하루에도 열두 번씩
고맙다고 인사해야 할
님은
나의 성장과 함께
크고
행복도 주었지요
기술이라는 생각에는
님은
맨 앞장에 서서
섬세함으로 따르고
운동이라는 미명(美名)하에는
님은
힘들다는 말도 없이
충성스러이 따랐지요
붓을 들 때에는
천하가 내 것인 양 한번 한 획 그을 때

님은
힘차게 내딛는 것도
한 소관(所管)이었지요
아 우리에게 항상
희망만을 안겨주는 것도
님은
어려움을 겪어온
상아탑(象牙塔) 같은 존재
님은
나의 생애(生涯) 그 밝은 빛이고
힘든 삶까지도
함께 걸어야 할
숙명(宿命)의
달이랍니다

2021. 3. 17.
〈옛 회사에서, 아는 사람에게〉

인생길

한번 왔다가 가지만은
그 세월에 녹아있는
삶의 역경
사랑까지도
한 번은 흩뿌리고 싶다
모진 비바람이 불어도
순풍에는 돛을 달듯
나아가고 또 나아가서
닿는 그곳
귀여운 아이도 태어나고
클 정착지에는
땀과 노력의 결실
맺힐
사과나무 사이로
한 뼘의 흙 보금자리에는

더 미래에 녹아있는
열매 열린 곳
씁씁하고 고단했던
노력이 이어진
긴 인생길에 놓인
행복한 꿈
쌓이고 모이는
그 물결의 땅이
너와 나에는 참 행로
인생의 길이랍니다

2021. 3. 19.

무늬

알록달록
숨겨진 비밀결 담고
순한 눈동자에 많은 마음
담깁니다
짙은 줄 가는 줄 엮임에는
맞잡은 손길 교차한 손길
긴 세월에는 때 묻은 느낌 흘습니다
세찬 바람결에 익는 무늬
비바람에는 흔들리는 무늬
마음속을 끌어내어 가는 발걸음에
왼손을 부여잡아요
삐침에는 거울 속에 못다 한 무늬
고이고이 물들어
오는 세월에 긴 한숨에는
꿈결에 지난 긴 여정의 터널에서
빠져나온답니다

2015. 5. 7.

앞날의 준비

고춧가루 마늘 소금 생강이
생명에 맞닿음 섞여
절여진 배춧잎에는 그동안에 삶 놓아
아낙네에 손길에는 애틋함을 보입니다
살을 저미는 계절 날 오면
동네는 바쁜 웃음꽃 지나온 수다가
뭉쳐지는 새길 터전을 넓입니다
황량한 들에는 쌓았던 정(情) 멈춰
숨결 자라는 거미들이 제집에 고향의
보금자리 튼답니다
나락에는 거듬을 다한 밋밋한 토지는 남아
하얀 숨결 자라는 다음 계절에 새싹이
밤 서리에 묻혀
긴 잠(眠)에 들어간답니다

2015. 5. 7.

잊음(忘)

과거가 솟구치는 물방울 되어
삶에는 많은 눈보라를 만듭니다
오고 가는 정(情) 깊은 관심이
다음 계절에는 시드는 꽃잎 여무는 알갱이
여럿을 만듭니다
작은 가지 머물지 않는 바람은
소식을 뿌려서
몹시도 흔들고 흔든답니다
발걸음은 무거워지는 노을빛에
작은 몸 담아
저쪽 하늘에 푸르른 계절 있나 고뇌(苦惱)에는
달빛 친구 되어
곳곳 삶 터전을 자세히 살펴봅니다

2015. 5. 8.

옹기(甕器)

참 흙이 세상에 많은
시련에 붙고자 나온다
굵은 손 마디에는 진기(眞氣)를 내주고
메침에는 혼을 내주어
다음 아침에 참모습 그림자 담아
비치운다
뜨거운 열기에 절정 몸매 다스리는
희광(希光)에는 설얼은 매화가
애절한 장인에
슬픈 마음 밝은 마음
애환(哀歡)에는 세상맛 드리운다
깨어지는 삶
옛 고인에 지쳐진 혼 담아
들썩이는 시장에서 남겨진 정성(情成) 낳아
애환을 길이 빛내어 준다

2015. 5. 8.

바람(風)

어느 결 틈새 스침에는
달랑달랑
색들은 잎새에는 생명에 끈 놓아
그날에 바람 빛 맞습니다
이쪽저쪽 온화한 바람 굴곡에는
극치(極致) 이루어 소생에 기쁨
찬 서리 이어 동행길 솟으면 다음에는
싹 계절 약속들이 토지들에 뒹군답니다
앙상한 가지에 매서운 회초리
흔들고 흔들어서
다진 마음에 긴긴 발걸음
토석은 견고히 남겨지도록 흩는답니다

한순간 변심 되어 큰 몰아침에는
일렁이는 이지럼 짙게 물들어
고쳐지는 나날 순풍은 돌아 돌아
따사로운 긴 여정 속에 그 걸음
묻히어 멈춘답니다

2014. 9. 15.

☆가끔은 쉬는 것도 나 자신을 뒤돌아보는 길이며
앞날에 보약이 될 수 있다.☆

2014. 10. 6.

난초

고고한 자태 그리움은
실려
청청(靑淸) 바람결에는 시름 병 잃어
고요히 빛을 냅니다
낯선 사람에는 그 성냄이
가까운 손길을 멀리하옵니다
푸르른 청단지
생기 북돋아 긴 삶에는
이어지는 한 가족의 끈이랍니다
파의 휩쓸림 돌아
다시 올 때는
잎새에는 떡깔 들어
안쓰러운 주인의 손가위에는
절개를 다시금 지킨답니다
어느 세월 님 마음 표정을
읽어
뿌리 잎새 꽃 모두에는
먼 훗날에도
그 기상을 알려 준답니다

2015. 5. 9.

중심(中心)

이쪽저쪽 밀고 당기고
기우는 쪽 받치면 중간에는 쌍 이루는
힘에 물결이
표식으로 생긴답니다
무거운 추 사이로
식량 부자재 농산물-
가을에 따스한 빛 받아 영근 기쁨에 끈들이
오늘에 계측이 되어
내일의 생(生) 터전에 희망을 일으킨답니다
무겁고 가볍고 힘에 겨운 언쟁(言爭)
다시 오는 꿈 뒷받침이 되어
구르는 토지에는 샘솟는 과실 나락들에도
기쁨에 중심되는 저울 있답니다
쌓여진 이야기에 작은 바람은 일어
촌 아낙네 가슴에도
꽃피는 계절 중심의 가르침 날 오기를
고이 곱게도 바란답니다

2015. 5. 9.

우산(雨傘)

색색이 주럭주럭 빗물에는
갓 펼친 우산 구름을 머리에 인다
올망졸망 걸음걸이 책가방에는
오늘의 배움을 넣어
샛길 도랑 풀섶에서 윗도리 아랫도리
헤진 우산에는 오늘에 희망 빛 된다
재잘재잘 또박또박
이른 이국 말씀에는
힘들어진 혀 입천장이 내일의 발전 모습
앞당겨 불 지른다
빗발치는 줄기 젖은 풀잎에는
집 오는 걸음걸이 힘에 겨워 달빛 별빛에
밤이 기록되고 쉬어지는 포근한 가정은
내일의 드높은 희망 솟아오른다

2015. 5. 10.

이름 모를 새(名無鳥)

흰 눈 위에 조각달 반사되어
꿈에 간들 저편에 본 듯
서쪽 하늘 향해 반복 날갯짓
구름 가려진 남은 마음은
이 삶에 잠시 남깁니다
동녘이 밝아 올 때면
몸은 저 먼 곳 마음은 이곳
세상 땅 반대편 되어도 마음 자라는 곳
맑은 숨 쉬는 곳입니다
쉬었던 곳 자랐던 곳
어느 결에는 새 삶에는 무거운 뿌리 이어
한 생(生) 바탕에 고이 두어
가려진 빛에 묻을랍니다
구름 강 거친 바다
회오리 휩쓸려 저편에 생(生) 쌓아 두어도
그리운 계절 보고플 때는
잊음에 고운 옷깃에 손 모아 기도하며
마음에 고이 묻겠습니다

2015. 5. 10.

농장(農場)

새벽에는 밝음이 오면
꼬기오 음메 꿀꿀 통통통-
닭 소 돼지 토끼들 마음에 준비운동
몸단장에 온기를 드높인다
뒷동산 아침 햇살 오르면
산천에는 다시금 경쟁터
내몰린 농장 식구들이 간식에
흐름을 잡는다
너도 나도 호식(好食)에는 꿈같은 작은 세월
시간이 깊게도 겹쳐진다
하늘하늘 높은 태양 볕에는
제 몸 가눌 곳 정자나무 숲
한결 다정스러움 이어 모임에는 정들었던
회환(回還)이 줄기 되어
힘차게 뻗어 나간다

2015. 5. 10.

물방울

또르르 거친 바닥에
하얀 방울 방울이 엮인
명주 타래가 풀린다
귀여운 강아지 잠결에 놀라 아이의
포근한 솜이불에는 놀란 귀를 묻고 눈을 묻는다
창가에 아침에 서늘한 공기가 삶을 재촉하여
짧은 생에는 영롱한 무지개 작은 빛 되어
듬성이 한계에 느낌을 빗는다
곳곳 발달의 한계를 이은 세간살이에는
근심이 줄줄이 묻어 가족의 마음에는
잠시의 빛바랜 감성이 맴을 돈다
다 잃은 다 잊은 기억에는 지난날에 흑백 사진들이
행복에 숨차던 시절이 밝은
모습을 빛내어 준다

2015. 5. 10

담장(垣牆)

노을빛 머물러 포근한
온기 돌아
야생 덩굴 은행나무 그늘이 옛
정성 담아
한 바퀴를 돌아 뭉쳤습니다
가시는 길 오시는 길
중앙 대문을 틀어잡아 길손에는
안심하는 다정스러움 표합니다
멀리서는 성(城) 가까이 서는 구불
안채 사랑채 행랑채
손님들 옛 세월에는 가까이 말씀을
주고받습니다

세상 굴곡 비바람 세파에는
흰점 흑점 달아진 돌 틈
풍파들에 한 줄 잡는 푸르른 이끼들이
삶에는 기억되어
옛 시간들이 흐른답니다
잠잠한 호령 속에는
돌아 세운 큰 대문 닫아
무언(無言)에 시간들이 다음날에는 밝은 빛을
온 식구들에 전한답니다

2015. 5. 11.

돌탑(石塔)

한탑 건너 탑을 쌓아
때 묻은 돌에는 세월에 짙은
향기가 느껴집니다
손자 얻어 한두 개 얹은 손돌
노파(老婆)의 마음은 지나온 정성이
가지런히 그 모양을 비추어 줍니다
누군가 지나다 세상에 핀 꽃이
아쉬워 거들면
새로운 층계 더 늘어 끝에는
하늘 정성이 닿을 빗줄기에 고이 씻겨
수구(壽舊)한 옛 모습 보여드립니다
저녁 그늘 빛 밀려
긴 모습 서로히 보듬어
그림자 동산을 이루면
그 세상의 정성이 이 손돌 이은
세상 삶에 애환(哀歡)이
사이에 무던히도 피어 오른답니다

2015. 5. 11.

길(路)

푸르른 나무들 길게 뻗어
맴맴 찌르르 먼 소리 이어져
지나는 감성은 아이의 마음을 일깨운다
높다란 잎들 흔들거리는
끊어질 듯한 가락(歌樂)들이
미미(微美)한 옛 정성을 일으켜
고요히 잠자던 풍치(風致)는
가슴속 절실히도 기다렸던 그리움을 이끈다
느린 걸음 수레들 농부의
삶 속 여운에는 긴 주름들 사이에 쉼없이
앞날의 비치움으로 흐른다
하나의 성취함으로 열리고
또 하나의 열매에도 열리고
아이들 책가방 어른의 터전에서는 쌓여진 빛들에도
설움은 깊숙이 묻혀져
보듬어 맞이하고
늦은 밤길에도 설움 없이 열어 준다

2015. 5. 11.

덩굴

구불구불
둔덕에는 이만큼
긴 표식 줄기
여기에 저기에 얽혀
세상과의 인연을 쌓습니다
하루해에는 저기 닿고
며칠에는 모양새 길어
먼 눈길 아지랑이 피웁니다
농부들 솥단지 지고 오는 날이면
길고 많은 생길(生路)에는
미련 끊어
한줄기 뜻에는
소먹이 되어 참된 땀방울에
빛이 되어 드립니다
다음에 계절이 들면
색색 황금빛
한 해의 절정(絕頂)은
길게 얽어 놓은 꿈들에
향연(饗宴)을 길게도 펼친답니다

2015. 5. 11.

동풍(東風)

팔랑팔랑
잎새는 떨어져 서늘함이
한 계절 시작 다시금 알린다
앙상한 가지 못다 한 보람
뭉실뭉실 진한 색색들
목마름에 화덕(火爐) 되고 기다렸던
지난해에 맛을 들인다
큰 모양 작은 모양 토실한 알갱이
아이들에는 조막손 놀이
희망의 덧길
가정에는 포근한 울타리를 만든다
긴 거리 저편 동쪽 바람
몰아칠 때면
기다리는 손님 계절의 삶
끝자락에는
기약의 날 약속의 끈이여
바람결에 길게 내일에 꿈 움튼다

2015. 5. 12.

밭고랑

울먹줄먹 빗물 받아
고구마 줄기 담배 잎새
하루에 한 치 두 치
하늘 땅 향해 늘려 재기에
오후의 한낮에는 돌풍 몰아
긴 빗줄기가 나른한 꿈속에
삶을 돕습니다
멀리 드리우는 어둑어둑
그림자들에 힘든 일손들
놓은 손 희망에 밤이 오는
언덕 편에서는 긴 삶의 자세를
일러 드립니다

우리의 손 삶의 손 일렁이는 밭고랑에
세월에 기억되는 일
여기저기 묻고 쌓아
다음 편에서는 그 뜻 이루고 모아 놓아
가족에 빛 얻는 미래에는
한 걸음 한 걸음 더 나은 보금자리
돗을 쌓고
나락 섬을 쌓아
따스한 마음결에 봄 동산을 지어 봅니다

2015. 5. 12.

역(驛)

손에는 보따리 등에는 선물
악수에는 눈물짓고
다음 오는 시간에는
모습은 멀어져 가슴속에 새깁니다
고동 울리는 마지막 여정이
귓볼에는 순간에 회오리 되어
아쉬움 남깁니다
오고 가는 삶의 뎇에는
바쁜 목메임이 다음날 계절을
기약하지만 흐름에는 옅은 잊음
밀려와 그날을 자꾸만 되새깁니다
긴긴 하루해
남겨진 여정(旅程) 오가는 발길
먼 계절 시간이 닿으면
역(驛) 마당에는
훗날에 기억될 이름들이
하나의 새김이 되어
만남에는 한 계단 오르는 기쁨에
포옹이 서로의 회환 깊이
지나온 기억까지도 담아서 흐른답니다

2015. 5. 14.

소쿠리

활짝 편 소쿠리에
감 밤 대추 능금
저마다 때깔들이 님 모습
빚어
며칠을 두어도 그리운 그 빛
머무르고 머물러
오는 명절날에는 그 쓰임새에
불씨 지펴
한 아름 장작 위에서라도
못다 한 생명의 끈을
풀어 놓지요

2015. 5. 21.

구름

허공에 떠도는 구름
사랑도 싣고 슬픔도 싣고
바람에는 많은 모습 만들어
보는 이의 짙은 마음도 비추어요
토끼 사람 꽃 마차
다양함이 행복에 젖은 쌍두마차에
닿으면
그리움은 되어 많은 꽃 피어올라요
너무 높아서 무거움에 지쳐질 때에는
슬픔은 읽어 후득후득
아린 속 눈망울 되어
꺼져가는 대지의 작은 생명들에도
한줄기 빗줄기를 아낌없이
선사한답니다

2015. 5. 23.

참(眞)

삶이 바뀌거나 갈림길 방향표는
나그네의 길에는 밝은 가로등
지친 마음에 안식되어 참 앞날
찾아 준답니다
거리에서나 험한 산천에 배움 찾아 헤매일 때나
지름길 깨어 있는 곳
옹달샘 물 늙은 소나무에 늘어트린 가지의
심정이랍니다
밤에 홀로 짓는 서쪽 새 아린 마음을 읽어주는
부모님의 마음에는
참(眞)이 맴돌고 돌아 지난날에 낳아 비춘
가지들에 근심 짓는 표정이랍니다
일깨우는 토지 봄 향기에는 쌓였던 지난날에 그리움
함께 정(情) 배였던 긴 삶에 맺힌
땀 서린 적삼에 흠뻑 깃든
참 물결이랍니다

2015. 5. 25.

이별

새로운 준비에
님이란 호칭은 먼 길을
기억만 남기고 떠납니다
가까움에 비추어진
고운 사진들은 내일인 양
공간에 손짓들을 하여 줍니다
지나간 그리움
바뀌어진 기다림
새로운 삶들은 낯선 날짜들에
새로운 손님이라고 다짐하고
비워진 마음속을
가득 외웁니다

정에 물든 나무 꽃들
추억들에 징검다리에는
푸르름 하이얀
색색의 영롱한 소리들이
친근한 벗 되어
님 사이 멀고 긴 다리에
바람결이 되어
남은 정 다정스럽게
못다 한 속마음을 속삭여 준답니다

2015. 5. 22.

봄바람

살랑살랑 봄바람이 따사로이
내 등 사이로 오른다
저편에 참새 까치가 물오른 풀잎 사이로
기쁨을 한 줌 물어 도랑 위로 던져 넣는다
아련한 모락 아지랭이 모여 모여
김이 솟듯
미래의 젊은 희망의 한 쌍에
동식물들이 내일의 깃 닿게
재울거린다

2015. 5. 11.

파생(派生)

훑 던진 돌 하나에
갈라지는 흰 물결이
뱃전에 몸을 고향에 부스른다
멀리 붉은 등 하나
물 위에 스며들어
출렁이는 물 사이에는
네 그림자 깊게 드리워
행복에 찬 글 띄우며
미래의 길 정성(精誠)의 길
인도한다
속삭이는 잔잔한 음률
귓볼에는 햇빛이 몰려들어
감기는 눈 두덩이에

새로이 회성(回省)이
긴 잠결에 옛 사정(事情)에는
모르던 것
첫 발길을 일으킨다
구름 조각 갈래 등이
제 힘이 무거워
빗방울을 치대면 지난 줄기
파생되어
새 새싹 가지는 동서남북 은은히
길게 뻗어 흐른다

☆좋은 생각 기쁜 생각 미래에 길 열린다.☆

2014. 10. 4

갈등(葛藤)

혼잡한 틈새 작은 눈치에는
빛바랜 그림에도 모울치는
심장 소리에
마음 이지러지는 높낮이에
새벽하늘 길게 울리는 새들의
울음소리 닮았다
가벼이 무거운 음성
둔탁한 마음이 깨지는 소리
나올 때
흔들리는 낙엽에 세찬 북풍 치른
하소연이
된소리 지르는 나그네에 거처 없는 여행길
닿는 시냇물 앞
돌다리 모습이다
복잡다단 고등어 갈치 새치-
눈망울 생동감에는
삶에 빛에 주는 모난 색
어스러지는 마음 지켜주는 밝은
지난 옷에는
가슴속 굵은 바람을 몰아쉬는

아픔이 선다
철이 지나 누런 채소 잎에는
쏟아지는 눈빛 지친 삶에는
미끄런 비단천이 매무새 아른거리고
울고 간 마음결 받아보는
늦은 아이에 소식 허기진 마음에 창은
길게 얽혀
아이 모습 깊게도 새겨주는 사진사에
꼿꼿한 삶이 지나는
발걸음을 비집는 간간에 산토길이 힘겨운
오름이다

2014. 10. 3.

☆발전된 미래는 오늘부터
한 걸음씩만이라도 뛰어라.☆

2014. 10. 7.

가족(家族)

굴뚝에는 아침 찬 공기에
가족의 시름 얻어 흰색 연기가
길게 뻗습니다
간밤 꿈 작은 가족
내일에 얻을 소식에는 많은 마음 졸이며
하루해를 맞습니다
옹기종기 얽힌 이웃집
몇 가닥 골목 아이들 재잘거림에는
가족에 기쁨도 담아 봅니다
뒷산 까치 먼 비행 앙상한 가지에
제 몸 얻으면 내 소식 가족 소식
긴 여행에서 돌아와
한뼘 두뼘
크기 재는 방 사이로 조그만
행복에 꿈을
길게 실어 본답니다

2015. 5. 26.

114

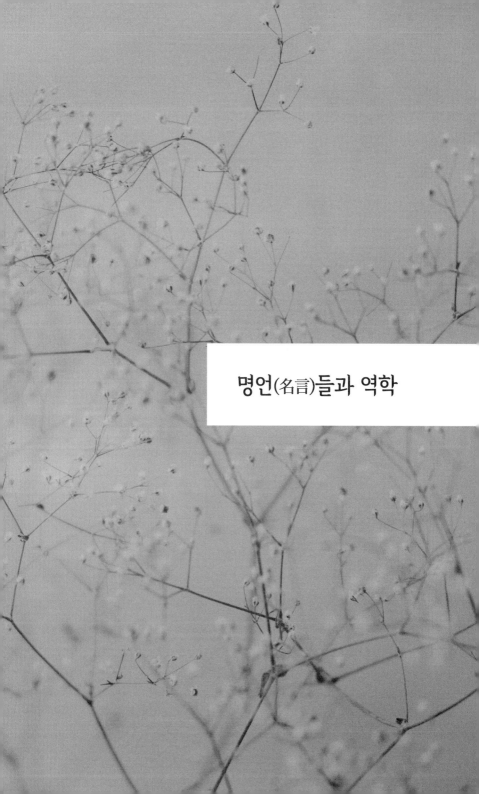

명언(名言)들과 역학

명언

☆나는 노력한다. 그래서 내 삶을 영위하고 존재한다.☆

2014. 9. 27.

〈이 윗것 1개는 4대 성인(공자, 석가, 예수, 소크라테스) 중 한 명인 소크라테스의 아주 전 세계적으로 유명한 명언 "너 자신이 알라"보다도 나으면 낫지 못하지는 않습니다. 가치로는 무한정의 가치입니다.〉

〈아랫부분은 명언도 되고 좋은 말씀도 됩니다〉

☆시련은 참 인생의 중요함을 알게 하고
과거 또한 미래의 얼굴이 된다.
그러므로 깨닫는다는 것은 미래의 중요 지표에
표석이 되어서 성공의 나침판이 된다.☆

2014. 10. 7.

☆열정에는 그 사람의 진심이 담겨 있고
노력하는 자만이 행복을 얻는다.☆

2014. 10. 8.

☆그 사람 됨됨이의 인격은
그 사람의 언어와 손끝에서 나온다.☆

2014. 10. 8.

☆착실한 계획은 성공의 지름길이 되고
실수를 안 하는 길은 한번 뒤돌아보는 것이다.☆

2014. 10. 8.

☆자신의 중요한 생각을 미래의 지표로 삼고
밝게 생각하라, 그리고 실천하라, 그러면 이루어진다.☆

2014. 10. 24.

☆떠오르는 공상 중에서도 최신 개발품이 나올 수 있다.☆

2014. 12. 18.

☆착각은 자유지만 넓은 생각일수록 말미가 좋다.☆

2014. 12. 18.

☆큰 것만을 생각하다가 소중한 것을 잃는다.☆

2020. 12. 9.

☆한 번의 큰 도약은 영원한 이름이 된다.
고로 성공의 발판으로 삼으면
미래의 희망에 지름길이 될 수 있다.☆

2021. 6. 2.

☆꿈은 항상 좋은 것
이루어질 수 있는 미래의 소중한 발판이기 때문이다.☆

2021. 11. 6.

논평

▌☆일반 예술적 글, 그림 가격대의 논평☆

무릇 그림이나 글 등은 그 가치가 예술성 또는 문학성과 진실성 등등의 유무(有無)로 그 가치와 시대상 마음 상의 가치의 진솔함으로 가격을 평가힐 수 있다. 그래서 무조건 힘에의 동조(同助) 내지 함구성 등등으로 무조건 평가절하(平價切下)한다면 그것은 후세에나 아니면 이웃 나라 등등에서 더 그 작품을 우습게 보고 해당 국가 국민을 우습게 또는 수준에의 낮은 의미를 부여하는 방향(方向)으로 기록 내지 생각들을 할 것이다. 그러므로 한 작품이 모든 면에서의 월등한 면(面)이 있는 것으로 보여진다면 그것을 무조건 싼 가격대로 평가절하 또는 돈 때문에 하급 작품으로만 판단할 것이 아니라 보다 냉정(冷情)한 생각과 의미로서 다각적인 판단을 하여 길고 짧음, 좋고 나쁨을 판단하여 미래의 발전상 도약상을 염두에 두고 깊게 신중히 판단하여야 그것이 한 나라에의 사회에서의 삶 또는 그 가치의 정당한 빛을 볼 수 있을 것이다.

그래서 무조건 낮은 가격으로 또는 이론(理論)에 부결(否決)되는 또는 부합(符合)되는 방향으로만 밀어붙여서 누군가 힘에 기대어 취득(取得)한다면 그것은 작품에의 꽃망울이 피기도 전에 꺾어 버리는 졸렬함으로 이어지고 소중하고 소중한 작품하나가 이 세상에서의 진정한 빛을 제대로 보지 못하고

개인 소유물로서의 애완동물 격으로 낮게 평가 평점이 다른 이웃조차도 비추어질 것이다.

그러므로 한 작품을 판단할 때는 냉정, 냉소, 냉엄(冷嚴)함 등등으로 명찰(明察)하고 혜찰(慧察)할 것이어야 될 것이다. 그러므로 항상 숙지(熟知)하고 숙고(熟考)하라. 그래야만 모든 자신의 또는 남의 작품을 제대로 논평 또는 판단할 수 있을 것이다.

2014. 10. 28.

문답

▌ 내 지인 중에 가장 유명한 사람은?

★블로그씨 질문에 답이며, 자궁경부암 발병인자 내용★

아주 옛날에 소도시에 ○○경 약사라고 있었는데, 그곳에서는 한 그때 30 후반의 나이뷔에 안 되어 보이는데 어느 약사와 다르고, 비교적 경력 있는 의사처럼 비교적 예리하게 병을 잘 알고 진단하여 처방전을 약국 근무자에게 주어 제대로 병이 낫게 하는 약을 처방하였습니다. 대체로 부인들 병이나 젊은이들 성병을 잘 보는 것 같았습니다. 그리고 귀 아픈 사람들의 귓병도 잘 알고 잘 처방 약을 내려 근무자들이 지어 사람들이 이 약국에서 조제한 약을 먹으면 병이 잘 낫는다고 하였습니다. 그리고 막 여자가 겁탈당해서 생기는 성병 또는 인유두종 바이러스 감염병 등등도 잘 보는 것 같았습니다. 자궁암, 즉 자궁경부암을 일으키는 절대적인 요소가 되는 인유두종 바이러스 16번 18번 58번 등등의 감염으로 자궁경부암이 되기 전의 물혹 단계의 즉 상피내암보다 조금 약한 단계의 작은 약간 어린 물혹 병도 치료약으로 치료를 하였다는 말들을 그 당시 그 약국을 드나드는 부인들에게서 들었습니다.

ex. 자궁경부암-즉 보통 사람들이 말하는 자궁암이 여기에 속하는데 이 말썽 많은 인유두종 바이러스 16, 18, 58번은 남녀 공히 성생활이 문란한 자 등등에서는 많이들 검출되고 그런 사람들과 단 한 번의 성관계에서도 이 바이러스에 감염되어 나중 나이 들고 몸이 상태가 즉 저항력이 떨어질 때 병적으로 이상 증세로 나타나는 여자들에게는 거의 치명적인 수준의 병적 요소의 나쁜 바이러스다. 남녀 공히 한번 감염되면 그 바이러스가 아예 죽어서 종식되는 자 많지 않은 퍼센티지를 보일 수 있다. 그러므로 비교적 깨끗한 환경에서 또 문란한 성생활을 하면 상대 배우자 또는 이성(異性)에게도 감염시켜서 은연중 몸속에 잠재 형태로 남아 숨어있을 수 있다.

이런 사람과 성관계를 단 한 번이라도 하면 99% 감염된다. 이것이 더 강하게 체질과 많은 약물로 내성인자가 생길 수 있으므로 사람들은 항시 이 인유두종 바이러스 감염에 주의하여야 된다. 이 중 최고 강력한 것이 16, 18번이고 58번은 비교적 약한 바이러스다. 즉 자궁경부암을 일으키는 빈번도 상의 내용이다. 그래서 강한 16, 18번 인유두종 바이러스에 감염되면 평생 자궁경부암을 조심해야 되고 이성 또는 배우자 감염에도 철저해야 되지만 어쩔 수 없이 한번에도, 감염되는 것이니 자신이 걸렸으면 배우자도 걸렸다고 생각하면 된다. 이상의 약간의 서론을 마친다.

※참고-자궁경부암(인유두종 바이러스) 예방 백신 주사제가 있는데 한번 맞는데 가격이 15만 원 이상이고 또 2개월에 한 번씩 도합 3번을 맞아야 효력이 있고 예방이 됩니다. 그

리고 연령대마다 효력이 달라서, 최소 12세부터 25세 전에, 맞아야 효력이 80~90%로 좋고, 나이가 들면 들수록 맞아도 효력이 저하되어, 50세가 넘어서 맞으면 거의 효력이 없습니다. 꼭 참고하시고, 예방적 차원에서 될수록 젊은 나이에 맞으시기 바랍니다.

아주 가난하여 돈이 없는 사람 아니고는 예방접종 맞는 것이 이로울 것입니다. 특히 남녀 공히 바람을 피웠든가, 바람피우는 남성을 만난 사람은, 여성이 필히 맞는것이 좋습니다. 여러 사람과 성관계하면, 인유두종 바이러스에 감염될 확률이 높으니까요. 그리고 인유두종 바이러스에 자신도 모르는 사이 감염되어, 자궁경부암이라도 걸리는 날에는 재수 없으면 좀 늦게 발견했으면 자궁 적출(자궁을 몽땅 떼어내는 것) 수술을 받아야 하니까 그러면 여자로서 성을 잃는 것이고, 그것이 나이가 환갑이 넘지 않은 젊은 나이일수록 독수공방하는 것처럼, 도 닦는 마음으로 스님처럼 황량하게 남은 인생을 살아가야 될 테니까요.

가까운 병·의원에서 의사와 상의해서 많이들 맞도록 하셔요들, 나중 자궁경부암 걸려서 후회하지들 마시고요···. 그럼 이만 서론을 마치겠습니다. 참고들 하시기 바랍니다.

2014. 9. 21.

▌ 와, 점점 여름에 가까워져요. 살 빼야 되는데, 여러분만의 몸매 관리법 공유해주세요~

운동을 해서 빼면 좋겠지만, 운동은 힘들어서 대개는 꺼리는데, 운동 말고 설탕 포도당성분이 많은 단 음식은 될 수 있으면 드시지 말고, 달지 않은 또는 덜 달은 음식만 드셔도 살이 거의 찌지 않고, 또는 살이 빠지기도 하고 몸매관리가 된답니다. 단 음식들이 대개 살을 많이 찌게 만들어요. 그리고 너무 탄수화물 위주의 음식들이나 기름기가 많은 기름진 음식을 많이 안 먹는 것도 좋을 것입니다. 그래서 저는 단 음식과 탄수화물 위주의 음식들이나, 기름진 음식들을 덜 먹고, 될수록 많이 걸어 다닌답니다. 많이 걷는 것도 살이 빠지니까요.

2015. 5. 27.

▌다음엔 어떤 나라에서 태어나고 싶으신가요?

서구화된 곳에서 한번 태어나보고 싶은데, 서구화된 나라에서도 겨울이 매우 추운 지역보다도 일상적으로 덜 추운 곳 따스한 곳이면 좋겠지요. 프랑스의 프로방스 지역이라든가 미국의 사시사철이 좀 더운 하와이서 한 번쯤 태어나 보고 싶습니다.

2015. 5. 12.

▌어버이날 지난 지 이틀째, "엄마가 좋아 아빠가 좋아"란 질문에 대해 어떻게 생각하세요. (전 어릴 때 이 질문이 너무 부질없다고 생각했어요)

아주 어릴 때는 양 부모님 두 분의 똑같은 크나큰 사랑을 몰라서 또 곤란한 마음이면서도 자꾸 물으면 그냥 엄마 이렇게 어쭙잖게 대답한 적이 있는데, 참 이 질문은 부질없는 것 같아요. 어느 부모님들이라도 한쪽만 좋다고 말하면 그 부모님은 서운한 마음이 잠시나마 들 거예요. 대개는 두 분 다 똑같이 자식들을 애지중지(愛之重之)할 텐데요.

2015. 5. 10.

▌당신이 느끼는 고전 영화의 매력은 무엇인가요?

아주 옛 고전 영화는 흑백 사진에다가 동시 녹음이 안 되는지 변사가 청산유수(靑山流水)같이 애절하게 또는 웅장하게 말해주는 변사의 말솜씨가 무엇보다도 지금 이 디지털 시대에서는 느낄 수 없는 매력이라고 할 수 있겠지요.

2015. 5. 9.

▌세상에 나오게 해준 부모님은, 당신에게 어떤 의미인가요?

크나큰 사랑으로 정성을 다하여 보듬어 입히고 먹이고 가르치고…. 세상에 나오게 해준 부모님은 그야말로 하늘과 같으신 분이시지요.

비교적 잘살던 부자였을 때나, 보증 서준 것 때문에 모든 것을 잃고 가난해졌을 때에도 한결같으신 높으신 사랑으로 우리네 자식들을 입히고 먹이고 가르치고 아프면 없는 돈

살림에도 병원에 데려가서 고쳐 주시고, 어디에서 누군가에게 받아온 과일 한쪽일지라도 당신은 안 드시고 자식들에게 갖다주시고 그야말로 큰 정성 사랑으로 베풀어주신 부모님이야말로 잊을 수 없는 높으신 하늘 같으신 분입니다. 지금은 두 분 모두 돌아가셔서 안 계십니다. 보고 싶어도 볼 수 없는, 모든 것을 크나큰 사랑으로 보듬고 베풀어주시고 가르치신, 그런 높으신 분이셨습니다.♡

2015. 5. 8.

▌ 우리가 사는 이곳에서, 제일 소외된 사람들은 어떤 사람들일까요?

허름한 쪽방촌이나 판자촌에서 홀로 사시는 연세 많으신 노인분들이시겠지요. 또한 그런 곳에 사시면서 큰 질병을 앓고 계시는 분들은 더더욱 소외된 분들이실 것입니다. 또한 국가에서 운영하는 병원에서 행려병자로 분류되어 들어오신 분들도 소외된 외로운 사람들일 것입니다. 또한 일반 집에서라도 불구로 걷지를 못하여 외출을 가족이나 남의 도움 없이는 할 수 없는 그래서 거의 집에서만 홀로 있어야 하는 그런 분들도 제일 소외된 분들 중에 꼽을 수 있을 것입니다.

2015. 4. 26.

▎내가 생각해도 뿌듯할 정도로 부모님께 효도했던 경험, 있으신가요?

답 드리겠습니다. 제가 부모님께 뿌듯할 정도로 효도했던 것은 1990년도 아버님께서 심장병으로 아프실 때, 충주 도립병원에 입원시켜 치료받으시게 해드린 것이 유일한 효도였습니다. 참으로 부모님의 큰 사랑과 은혜를 모르는 바 아니지만, 평소 때 효도하기는 참으로 어려운 것 같아요. 그럼 이상으로서 블로그씨의 질문에 답을 드려봅니다. 감사합니다.

2018. 6. 8.

▎코스모스, 다양한 색깔로 물든 산······ 가을의 모습 담은 사진을 소개해주세요.

이것이 조금 이른 가을입니다. 다들 아시겠지만 안 가본 지방분들도 있을 것이어서 올렸습니다. 최지우/배용준 둘이서 겨울연가를 주연으로 캐스팅되어 진진하게 아주 잘 촬영되어 드라마의 내용과도 잘 부합되어 가까운 외국으로도 수출된 대박난 걸작 장소로서 눈 던짐 진진한 애정표현으로 세간에 정평이 나 있던 유명한 촬영지가 되었던 곳입니다. 모두들 나이 좀 들은 분들은 대박 난 드라마 〈겨울연가〉 아시죠? 안 가보신 분들은 한번 가보셔요. 두 배우 사진과 약간의 기록도 남아있고, 편백나무가 하늘을 찌르듯 크고 가지런히 잘 정돈되게 심어져 한결 풍치를 드높여요. 아시

126

겠지요들?

▌ 내가 아는 괜찮은 드라이브 코스를 소개해주세요

예, 답드립니다. 옛날에 강변북로와 88대로를 2시간 정도
로 코스차를 몰며 돌아다닌 적이 있는데 시원스럽게 트이고
상쾌한 강변 바람이 불어와서 상큼하고 은은한 중간중간 코
스모스 또는 잡다한 이름 설은 꽃나무들도 있어서 순간순
간 눈으로 보면서 달렸는데, 어쨌든 꽃의 상큼한 향기가 바
람결에 달리는 차에 와닿는 느낌이었고 바깥 배경들도 훤
히 트이고 강물이 펼쳐지고 시원시원하여 비교적 괜찮은 좋
은 드라이브 코스라고 생각이 들었습니다. 이름 설은 꽃들
중에서 코스모스와 붉은 하이신스가 눈에 확 뜨이고 정확히
알게 보였습니다.

2014. 9. 22.

▌ 겨울이 오면 눈에 덮인 얼음의 추억의 장소

안녕하십니까? 그래도 아주 옛날에는 휴일이나 일요일에
는 사람들이 먼 곳 등지에서도 구름같이 밀려오고, 각종 먹
을거리 오색 풍성하고 정갈한 주식 외 겹식들을 보자기들로
싸 가지고 소풍을 온 듯 웃음꽃이 만발하고 잡담과 수다들
로 그동안의 힘겨운 생활들을 회포나 풀듯 한 아름다운 가
족 광경이 넘쳐나고, 활기 차오름이 넘쳐나던, Date 코스로

도 유명했던 명(名) 공원이었습니다. 그런데 지금은 예전보다는 수그러든 듯하였습니다. 그렇지요. 인구비례에 대하여 그런 듯 보였습니다. 서울분들은 한 번도 안 가보신 분들이 적을 것입니다. 지방분들이나 서울 오시면 한번들 가보셔요. 감사합니다. ♧♧♧

〈ex. 무슨 공원인지 모르시는 분이 있을 것 같아서 알려드립니다. 옛날에는 매우 유명했던 어린이 대공원입니다.〉

강옥례 누님을 위한 글
2014. 9. 22.

▌ 내가 겪은 가장 허무했던 순간은?

글쎄요, 말씀을 드려보겠습니다. 뭐든지 자신의 것이 있지 않습니까? 무엇보다도 그 가치와 중요도가 많을수록 집착적인 애착심이 높아지는 것을 사람들은 인지상정(人之常情)으로도 표기할 수 있고, 베푸는 것도 같은 한문 문장으로 표기할 수 있겠지요. 그러나 여기서 자신이 애지중지(愛之重

之)하는 소장품 또는 개발품 등등을 정당한 이유 없이 남에게 절도 또는 편취당하였다고 생각해 보십시오. 이 얼마나 마음이 괴롭고 허무하고 심하면 비관까지도 들 수 있지를 않겠습니까. 그리하여 내가 가장 허무했던 순간을 말하란다면 자신이 가장 소중하게 여기는 보물을 정당하지 못하게 잃었을 때라고 생각합니다.

또는 신개발품이라면 도용 또는 가품, 짝퉁들이 나돈다면 이 또한 말할 수 없이 허탈하고 허무할 것입니다. 그래서 주제의 답/정론은 저의 옛날에 애지중지하던 소장품 같은 아주 비싼 브랜드의 고가의 코트를 도난당했을 때입니다.

또 하나는 금반지 또는 목걸이 등을 정식 금은방에서 3개를 순차적으로 구입했는데 이 중에 금반지 큐빅 같은것 박히고 금은 18금이라고 알고 무게는 3돈으로 알고 구입했는데, 그 당시에 순금 1돈에 5만 원 정도 할 때 구입했는데, 이것이 가짜였습니다. 그 당시에 준 보증서도 받아왔는데, 몇 년 후 다른 곳에서의 정식 감정 후에 가짜라는 것을 알고 보증서를 찾았으나 보증서를 찾지 못하여 그냥 가서 항의했으나 보증서가 없다고 배상할 수 없다고 해서 그냥 한 푼도 못 받고 그만두고 돌아온 일이, 매우 사기를 당하여 허무했습니다. 또한 허무한 순간이기도 했습니다.

강옥례 누님을 위한 글
2014. 9. 25.

▌가을에 듣기 좋은 음악 추천해 주세요!

예, 가을에는 무엇보다도 낙엽과도 연관되어 있고, 단풍과도 연관되어 있으므로, 그러나 나는 봄에 계절인 여성이지만, 가을은 남성에 계절이고 남성들이 쓸쓸함이 깃드는 또는 옷깃에 스치는 계절이므로, 남성이 더 듣기 좋은 음악을 추천하는 것이 옳을 것 같아서 추천드린다면, 최백호 님의 "가을엔 떠나지 말아요"하고요 또 하나를 추천한다면 옛날 10대 가수상도 수상했고 목소리가 허스키이고, 사람들이 허스키한 목소리를 알아주고 했는데 나쁜 병마로 가까운 근 몇 년에 돌아가신 것으로 알고 있는데, 그분 즉 최헌 님의 히트송 "오동잎"이 가을 쓸쓸함을 달래주는 좋은 음악이라고 생각하고 이와 같이 두 곡을 추천합니다.

강옥례 누님을 위한 글
2014. 9. 26.

▌나 이런 사람이야- 라고 나를 한마디로 소개한다면?

나는 시골에서 가난하지만 두 부모님의 따뜻한 가정에서 비교적 온화한 삶을 살았다. 어릴 때는 비교적 똑똑하여 남에게 말대꾸도 정당하지 못하면 맞으면서도 자주 하였다. 이렇게 정당한 삶을 살다가 꽃다운 방계년 나이인 23세 가을에 시집을 가서 이듬해인 24세 때 첫 아이 여아를 낳았다. 그 애도 지금쯤은 시집가서 잘살고 있을 것이다.

나는 옛날에 비교적 꿈이 많아서 남성들과도 아름다운 펜

팔 편지들을 많이 주고받았다. 비교적 폭넓은 지고지순한 마음을 담아서 애틋한 연애편지를 주고받았다. 그러나 성실한 마음으로 부지기수의 남자들이 소도시에서 약속 장소 내지 서로 만나자고 많이많이들 졸랐으나 응하지 않았다. 비교적 옛날이라서 순결들이 강조되는 사회교육 현장에서의 삶을 살았으므로 함부로 젊은 처자인 내가 함부로 누구에게 첫 순결을 바칠 수 없었으므로 많은 남자들의 펜팔 부탁들을 거절했다. 만나서 정심의 마음으로 계속 애틋한 마음을 키워서 결혼에 골인한다는 보장이 없었기 때문이다.

나는 마음으로 강조했다. 괜히 몸 버린다고…. 속세 말 표현이다. 지금은 나이 들고 없는 파란이 없었다고는 할 수 없고 지친 삶이 지만 그래도 노력하여 내 삶을 그냥 공짜를 바라지 않고 정당하게 살아가는 중이다. 늦은 나이에도 일하면서 말이다. 나중을 위하여 필수적인 암보험도 들고 계속 부어 나가는 중이다.

강옥례 누님을 위한 글
2014. 9. 27.

▌ 더 공부해보고 싶은 관심 가는 학문은?

나는 어릴 때 비교적 영리하였다. 그런데 지금까지 배운 학문은 그대로 두고 인제 와서 다시 또 더 공부해 보고픈 학문은, 고급 수학과 IT 관련 내용들의 기술적 학문이다. 수학은 머리 좋을 때는 풀면 풀수록 재미나는 학문이고 IT 관계의 학문들은 수학 공부보다는 덜 재미가 있을지라도 그런대로 깨우치는 기쁨이 있는 기술적인 학문이다.

무엇이 문제인가? 요는 자신의 의지와 좋은 머리의 함수 삼각관계의 고리가 되는 지능 플러스 의지이다. 이 사항들이 충족되어진다면 두 부류의 학문 다 어느 것이나 손색없고 사회에서도 좋은데, 그리고 그런 종류의 기능성 학문들을 필요로 하는데 취업 또는, 자영업으로 활용하면 좋을 것이다. 무엇이 문제인가? 요는 무엇이 잘못되어 너무 가난하게 되든가 아니면 뜻하지 않게 남으로 인하여, 두뇌가 손상된다면 필연 불가결한 사항이 되므로, 마음과 의지가 뜻과 같이 되지를 않아서 큰 성공을 거두기 힘들 것이다. 고로 내가 오늘에 주제에 답을 말한다면 고급 수학 또는 IT 관련 공부이다. 또는 관심 가는 기능 기술적인 학문이다.

이것으로써 블로그씨의 질문에 대한 답을 마치겠습니다. 감사합니다.

**"매사 불여튼튼 하면
요지부동도 움직이고 이익의 배 창출한다."**

2014. 9. 28. 강옥례 作

▍나에게 '가을'이란?

예, 말씀을 드리자면 한마디로 봄이나 가을이나 마찬가지로 마음이 서늘하고 쓸쓸하고 오만가지 생각이 충돌하고 울적해져서 철 지난 바닷가라도 연인과 같이 손목을 잡고 Date 하는 상상을 다 해보는 아름다운 추억의 인생로를 한

번 되새기며 물방울을 튀기며 모래사장을 걷고 싶은 충동을
느끼게 하는 살랑살랑한 불어오는 가을바람과 같이 흔들리
는 마음을 주체할 수 없음을 표현하는 일종의 시적 감수성
이 두뇌에 뇌리에 잘잘 흐르는 그런 좀 쓸쓸하면서도 아름
다운 계절이라고 생각합니다. 또한 낙엽이 또르르 떨어지면
낙엽 사이의 맴도는 조금 남은 훈풍을 기다리는 철딱서니
없는 철부지가 되고 싶은 양 막 달려가서 스르륵 하고 낙엽
사이에 자신의 몸을 미끄럼 타는 촉촉한 상상에 물들게 하
는 그러한 계절이 되기도 합니다. 이것이 저의 주제의 답입
니다.

"낙엽은 과거의 고향 나의 발자취이다."

2014. 9. 30. 강옥례 作

▎ **10월의 첫째 날이자 국군의 날입니다. 이날이 되면,
군인 아저씨께 위문편지를 썼던 기억이 납니다.
여러분도 그런 기억이 있으세요?**

예, 있습니다. 아주 어린 초등 2학년 때 어느 겨울이었어요.
그날따라 날씨가 춥고 찬바람이 윙윙거려서 마음조차도
서늘하고 싱숭생숭하듯 가지런하지 못하고 잡다한 생각 등
등으로 어린 나이치고는 가정적인 근심이 비교적으로 많았
답니다. 그런데 선생님께서 국군장병 위로하는 위문편지를
쓰라고 하셔서 내심 한 글자라도 잘 써봐야 되겠다고 마음
먹고 구구절절 장병들의 고달픈 병영 생활에의 노고 또 가

정과 떨어져 계시는 소외된 가정적 외로움 등등 또 상하 관계가 분명하고 얼차려 등등도 자주 실시한다는데 그리고 항상 주둔군도 지역 특성상에 이동도 많이 한다는 것을 어른들로부터 농담 겸 진단 겸 하는 말씀 등등을 항시 듣고 자란 저인지라 한편으로는 해당 장병 아저씨와의 잠시나마 간결한 위로 등등으로 소통할 수 있다는 것이 제게는 하나의 아름다운 추억이 될 수도 있겠다는 어린 철부지 생각에 즐거운 마음으로 크리스마스 얘기 뒹구르르 낙엽이 떨어져서 구르는 어린 소녀의 심정표현 등등을 실어서 국군장병님들에게 위문편지를 비교적으로 순순하고 장병님의 마음이 기쁘도록 최선을 다하여 애틋하게 써 내려가고 정성을 다하여 썼습니다. 그 당시 철부지 초등 2년 때 말이에요.♡

"항상 마음이 튼튼하면 정신건강에는 최선이 되고
또한 정신이 무장되면 즐거움이 배가된다."

2014. 10. 1일 강옥례 作

┃ 나를 패셔니스타로 만들어줄 아이템! 올가을 꼭 장만해야 할 혹은 꼭 소장하고픈 패션 아이템은 무엇인가요?

무엇보다도 여성들은 옷이 날개라고 멋진 그리고 현대적인 또는 고풍스러운 그런 이미지의 옷이 좋겠지요. 시장 또는 백화점을 돌다 보면 옛 추억이 아른거리는 매우 색다른 거칠지 않고 또 너무 매끄럽지도 않고 색상의 조화도 너무 화려하지도 않으면서 약간의 기품이 있어 보이는 디자이너의 감각이 최대한 들어간 듯한 꼼꼼하고 매너 충실한 디자이너의 힘 그리고 봉제사의 꼼꼼한 바느질 솜씨가 잘 어우러지고 삼각함수의 열쇠고리같이 풀릴 듯 말 듯한 감각과 감성이 묻어나는 질감이 비교적 좋은 천감도 포함된 그런 비교적 고가이지 않으면서도 절대 감성과 절대 강건함이 깃드는 좀 세련미도 돋보이는 옷깃 틈새에도 매무새가 고풍 또는 선천적인 자연의 아름다움이 내재된 그런 미풍이 겹쳐 묻어 흐른다면 얼마나 좋을까 하고 그런 옷을, 올가을에 장만하고 소장하고픈, 나를 패션니스타로 만들어줄, 아이템(Item) 나의 생각하는 옷입니다.

"항상 생각하고 실천하라.
그러면 하늘의 도움이 올 것이다."

2014. 10. 2. 강옥례 作

"정심(正心)은 천심(天心) 항상 내재하라."

2014. 10. 2. 강옥례 作

▌ 내 생애 최고의 생일은 몇 번째 생일이었나요?

예, 답 겸 말씀을 드리자면 그래도 먼 옛날인데 시골에서 크고 자라서 순수하고 여리고 감수성은 좋게 머리도 젊었을 때는 비교적으로 좋게 태어나서 그리고 봄철의 나물 뜯는 그리움을 추억 삼아 지켜온 23년에 순수함이 자라고 잠들고

있던 소망의 빛이 담기는 꿈에 선이 들어온 나이 해의 생일
이랍니다. 즉 내 나이 꽃다운 방년에서 조금 자란 우리 나이
23세의 꽃 같은 청춘의 숨결이 소박하게 조금은 나즈막이
막 피어오르던, 23세 때의 생일입니다.

강옥례 누님을 위한 글
2014. 9. 24.

역학에 관한 글

▌ 사주팔자와 운명관계 이야기

나는 1986년 9월부터 2020년 9월까지 34년간 긴긴 세월 수많은 사람의 사주팔자를 보아오면서 연구하여 온 결과 사주팔자라는 것이 오묘하면서도 잘 맞도록 구성되어 있는 학문이란 것을 알게 되었다.

사람의 사주팔자는 그 개수가 무려, 518,400개로 방대하다. 그런데 사주운명가들은 사주팔자 운명을 잘 보는 사람보다는 제대로 볼 줄 모르는 사람들이 더 많다. 이것이 보기가 쉬운 것이 아니어서도 그럴 수 있지만 많은 경력과 노력을 요하는 것이므로 그냥 먹고살기 위해 보는 것이라면 잘 보지 못하고 실패하고 엉뚱하게 못 맞게 미래가 안 맞게 볼 수가 있다. 그런고로 사주팔자를 보는 역술가라면 부단히 노력하고 그 경력이 30년은 넘게 되어야 겨우 제대로 볼 실력이 갖추어진다고 생각한다.

이것은 그냥 수학 문제 풀듯이 맞혀지는 것이 아니다. 그래서 정답을 찾기가 매우 어려워서 부단히 노력하고 또한 경력이 아주 많아야 된다는 것이다. 이와 같은 연구 취지 결과로 볼 때 분명히 사주팔자에는 그 틀이 있고 한번 타고난 숙명(宿命)은 잘 벗어나기 힘들고 부단히 노력하여 조금은 벗어날 수 있다. 즉 부자가 되는 사주팔자가 있고 가난한 사주팔자가 있고 공직자로 출세하는 팔자가 있고 회사에서 출세하는 팔자가 있고 예술가로서 출세하는 팔자가 있고 기술자로서 출세하는 사주팔자가 있고 사업을 하는 사주팔자가 따로 있고, 사업을 할 수 없는 사주팔자가 따로 있다. 사업을 할 수 없는 사주팔자를 타고난 사람이 사업을 하면 백번 해도 다 실패한다. 몸이 자꾸 병들고 아프게 되는 사주팔자가 따로 있는데, 조심하면서 살아도 병이 몸에서 떠나지 않는다. 태어나면서부터, 귀머거리, 벙어리, 자폐아 되는 사주팔자가 따로 있고 자꾸 수없이 감옥소 교도소 가게 되는 사주팔자가 따로 있다.

또 남에게 맞아 죽거나 피살(被殺)되는 사주팔자가 따로 있다. 또 남편에게 자주 두들겨 맞는 사주팔자가 따로 있고, 자식이 사주에 없는 팔자는 자식을 남편 아내가 같이 살면서 못 낳든가 태어난다 할지라도 그 자식이 일찍 사망하게 된다. 또 부부 이별살이 들은 사주는 반드시 꼭 헤어지게 되고 두 번 또는 세 번 결혼하게 된다. 그리고 사주에 남편성이 약하게 타고난 사주는 남편이 무능하게 되고, 남편성이 하나 있는데 약하고 제거된(충, 합거) 사주는 필히 남편이 살다가 비교적 일찍 죽게 되어 과부로 살게 된다. 그리고 여자 사주가 너무 신강(身强)하면 평생 일하기 싫어도 남편이 무능하든가 병신이 되어 아내가 일을 못 놓게 된다. 세 살짜리라도 단명할 사주고 운이 매우 나쁠 때 차도로 걸어서 또는 기어서 내려가든가 하여 차에 치여서 죽게 된다.

그리고 남자 사주에 여자성을 많이 타고난 사주도 부부의

연이 자꾸 바뀌어서 두 번 결혼하게 되고 바람도 많이 피우면서 평생 살게 된다. 또한 여자 사주에 남편성이 많은 사람도 부부에 연이 바뀌어 두 번 결혼하게 되고 바람피우라고 남자들의 유혹의 손길이 평생 따른다. 그리고 부부간에 속궁합이 아주 잘 안 맞는 사람이 결혼하면 살다가 권태기도 많이 느끼고 자꾸만 부부 싸움이 발생하며 금전적으로도 자꾸 흩어지는 일이 생긴다. 고로 같이 살면서 죽지 못해서 같이 살게 되는 수가 있다.

또 사주팔자에 부부궁에 원수 되는 살(殺)이 끼인 자는 부부지간에 살다가 원수처럼 원망을 많이 하면서 살게 된다. 이 살은 살면서 아주 이별하기는 힘들다. 원수처럼 원망하면서도 평생 같이 산다. 또한 부부 사주가 서로 속궁합이 원수 되는 살이 되어도 그렇다. 고로 궁합은 겉궁합은 안 맞아도 되나 속궁합은 필히 잘 맞는 사람과 결혼해야 부부가 사이좋게 백년해로한다.

또 사주에 자기궁에 도화살(桃花殺)이 들은 사람은 남녀 공히 바람피우는데 여자라도 바람을 피우게 된다. 사주가 잡란하면 무분별하게 많이 바람을 피운다. 또 사주에 성병(性病)살이 들어있고 그것이 일지에 연결되어서 들면 평생 못된 성병이 걸리게 되어있는지라 에이즈 같은 못 고치는 성병에 주의하여야 하며 배우자 외에는 바람을 피우면 안 된다.

남녀 공히 사주팔자가 너무 나쁘게 태어나면 아무리 노력을 하고 싶어도 노력을 못 하게 불구나 중병을 들게 만드니까 참으로 안타까운 일이다. 이것이 바로 사주팔자의 숙명(宿命)이다. 그리고 사주에 남녀 공히 남녀궁이 너무 안 맞으면 그리고 운이 나쁘면 너무나 서로가 사랑하면서도 결혼도 못 하고 헤어지게 된다.

내가 무려 34년간 긴긴 세월 사람의 사주팔자를 보아오고 연구하여 온 결과 타고난 사주팔자를 완전히 벗어나서 살지는 못한다. 그리고 마지막 작명(이름)에 대하여 많은 세월 연구하여 온 결과 사람의 사주팔자에 맞추어서 이름을 한글 이름이든 한자 이름이든 잘 지어야지 효력이 조금이나마 있지, 그냥 한문 공부 많이 했다 할지라도 사주팔자에 맞지 않게 이름만 잘 지으면 이름의 효력은 없다.

그리고 자꾸만 사기 치는 사기꾼 사주가 따로 있고, 경제범죄 저지르는 사주팔자가 따로 있어서 이런 사주로 타고난 사람이 회사에 취직하면 그 회사에 피해를 끼친다. 그러므로 사장들은 회사원 뽑을 때 필히 참고하라.

그리고 부동산은 매매운이 좋을 때 사면 이득이 남지만 운이 극히 나쁠 때 사면 필히 하자 있는 부동산을 사게 되어서 팔 때 손해 본다(집을 산 후에 물이 어디에서 자꾸 새고 고쳐도 고쳐지지 않는다든가. 땅일 때는 나중 개발이 안 되는 곳이라든가, 심하면 땅 주인이 따로 있다든가 하는 하자 말이다. 법정소송 갈 수 있고 다시 다 빼앗기기도 할 수 있다). 집 전세 얻을 때도 운이 극히 나쁠 때는, 부동산 업자에게 사기를 당하는 계약을 하게 되어서 나중 전세금을 떼이게 된다. 고로 모든 것은 참고하고 부동산 사든가, 전세 얻을 때 운이 극히 나쁜가를 아주 실력 있는 역술운명가에게 보아서 실행하는 것이 좋다.

사업을 처음 시작하는 사람도 사주팔자 운명 보고 시작하는 것이 좋음, 사업 운만 들고 금전운이 매우 약하면 사업을 시작하여도 몇 년 안 가서 실패하여 문 닫는다. 그것만이 사기를 안 당하는 일이다.

모든 것을 참고하기 바랍니다. 사주팔자 운명도 아주 실력 있는 사람에게 보아야지 실력 없는 사람에게 보면 맞지 않게 봐주어서 실패하게 될 수 있다. 꼭 참고 바랍니다. 실력 없는 사람은 제대로 못 봐, 참고 바랍니다. 그럼 이만 다음에 또 글 쓰겠습니다.

2020. 9. 8. 한음도사(韓音道士. 역학9단) 강성근 作筆

▍작명법(가장 좋은 이름 짓는 법)

〈가장 좋은 한문 이름 짓는 법〉

ex. 내가 오늘은 운명 역술가 경력 30년 이상으로서, 그리고 역학 9단으로서, 많고 많은, 이름을 지어온 경험으로 가장 좋은 이름 짓는 법을 말하겠다.

(가) 우선 한문 이름을 잘 짓기 위해서는 사주팔자(四柱八字) 총 518,400개를 거의 제대로 알아야 하고, 사주격국(四柱格局)과 용신(用神)을 제대로 잡을 줄 알아야 한다.

(나) 한문 이름 지을 때 가장 중요한 몇 가지를 말하겠다.

1. 우선 한문 획수가 좋은 것이 중요하니 사람에 성(姓)에 따라서 좋은 한문 획수(劃數)를 골라서, 원(元), 형(亨), 이(利), 정(貞)에 맞는 한문을 골라서 사용하는데,

이 때에 가장 중요한 것은, 사주에 꼭 필요한 용신(用神)이나, 또는 사주에 물(水)이 너무 많은데, 든든한 목(木-甲寅)도 제대로 없고, 토(土)도 물을 막을 큰토인 술토(戌土)도 없고 습토인 진토(辰土)나 축토(丑土) 하나만이 있어서 큰토 술토(戌土)나 조토 술토나 미토(戌土나 未土)가 꼭 필요한 사주에는, 한문 이름에서 토(土)가 되는 오행(五行)을 반드시 넣어 주어야 되는데, 이때는 한자 부수의 변(左邊)에 있는 오행(五

142

行), 즉 이 글자(場=마당 장)같이, 토(土)변이 있는 글자를 이름자에 넣어 주어야 하고, 아니면 한자 부수의 밑(下段)에 이 글자(基=터 기)같이 토(土)밑이 있는, 글자를 이름에 반드시 넣어서 지어야, 사주에 맞는 가장 좋은 이름이 되는 것이다.

(다) 그리고 또 중요한 것은 반드시 음오행(音五行)도 배열이 좋고 잘 맞게 지어야 좋은 이름이 되는 것이다.

〈가장 좋은 한문 이름 지을 때 갖추어야 될 사항〉

ex.(1) 성씨(姓氏)에 따라서 한자의 가장 좋은 획수만을 사용하여 지어야 좋은 이름이 된다.

(2) 반드시 사주팔자의 용신(用神)이나, 용신이 아니더라도, 사주에 반드시 꼭 필요한 오행(五行)이 있는 사주가 있으니, 그 오행과 맞는 한자의 부수의 변(左邊)이나 밑(下段)에, 그 필요한 오행(五行)이 붙어 있는 한자를 택하여서 이름을 지어야 좋은 이름이 된다.

(3) 반드시 음오행(音五行)이 잘 좋게 상생(相生)이 되게, 배열되어 있게 하여야, 좋은 이름이 된다.

(4) 아주 매우 혹간, 사주팔자에 오행(五行) 5개가 다 구비(具備)되어 있으면서, 또한 오행 5개의 뿌리가 튼튼한 사주가 아주 드물게 있는데, 이러한 사주팔자만은, 한자의 부수에

서 변(左邊)이나 밑(下段)에 붙어 있는, 한문 부수오행(部首五行) 글자를 사용하지 않고, 그냥 한자에 좋은 뜻이 담겨 있고, 성씨에 따라서 한자의 획수가 좋고, 음오행(音五行)이 잘 맞고 좋은, 이름으로 지어도 좋은 이름이 된다.

〈한글 글자로만 좋은 이름 짓는 법〉

(가) 한글 이름은 별다른 것이 없고, 음오행(音五行)이 사주팔자에서 용신(用神)과 같은 예쁜 한글 글자를 사용하여 짓거나, 아니면 사주팔자에 꼭 반드시 필요한 오행(五行)이 있는 사주팔자에서는, 그 꼭 필요한 오행과 같은, 음오행(音五行)의 예쁜 한글 글자를 택하여서 한글 이름을 지으면 좋다. 〈한글 이름 짓는 데는 한문 이름과 같이 획수는 안 보고 짓는다. 참고하라.〉

ex. 절대적으로 사람의 운명(運命)을 좌지우지(左之右之)하는 것은 뭐니 뭐니 해도 절대적이고, 때에 따라서 숙명(宿命)으로 작용하는 사주팔자이다.

〈한글이든 한문이든, 좋은 이름으로 지으면, 일반인은 15%정도 범위에서 플러스가 되고, 가수 같은 인기 직업인은 좋은 이름은 15% 정도를 상회(上廻)할 수 있다.〉

ex.〈그렇다고, 15% 정도 플러스를 우습게 보면, 절대 안 된다. 15% 정도 플러스 때문에, 운 나쁠 때 크게 사고를 당하여, 평생 불구자가 될 것도, 사고가 적게 나서 치료받아서 완전 불구자가 안 되고 살아가게 되는 것이, 15% 정도 플러스 때문에 좌지우지(左之右之)된다는 것을 꼭 알아야 된다.〉

★〈돌아가신 작명(作名)의 대가분들도 이름은 사주에 맞게 아주 잘 지어도, 약간(15% 정도)만 운명에 작용되고, 도움된다고 하였습니다.〉★

〈한문 이름이든 한글 이름이든, 매우 나쁘게 지으면, 운명을 좋게 하기 전에, 운(運)을 깎아 먹게 되니, 될 수 있으면, 돈이 들더라도, 사주팔자에 맞게 좋게 짓는 것이 좋다.〉 참고하고 참고하십시오.

ex. 사주팔자에 있는 용신(用神)을, 제대로 잡을 줄 모르는 사람은, 백날 이름 지어도, 좋게는 못 짓는다. 또 사주구성 오행의=(전문가용) 음(陰), 양(陽)도, 잘 맞추어서 지어야 되기 때문이다. 참고하라.

〈의뢰 맡으면 사주팔자에 맞고, 인생살이에 이득 되게, 아주 좋게, 부모님과 형제들의 이름과 중복되지 않게, 3개를 지어드립니다. 그중에서 골라서 출생등록 하시면 됩니다.〉///★〈작명 외에 개명(改名)도 합니다.〉★

2021. 3. 4. 한음도사(韓音道士, 역학9단) 강성근 作筆

▌★<순수 한글 이름 모음>★

1. 하나 2. 송이 3. 별 4. 나나 5. 이슬 6. 꽃님 7. 아름 8. 햇님 9. 우리 10. 사랑 11. 소리 12. 새로미 13. 보람 14. 바람 15. 새봄 16. 두리 17. 누리 18. 여름 19. 솔잎 20. 풀잎 21. 잔디 22. 하늘 23. 바다 24. 보리 25. 마음 26. 빛나 27. 믿음 28. 보름 29. 한별 30. 나루 31. 가을 32. 달빛 33. 달님 34. 별님 35. 밝음 36. 오름 37. 딸기 38. 머루 39. 푸름 40. 노을 41. 여울 42. 보라 43. 푸른 44. 한빛 45. 나라 46. 하루 47. 잎새 48. 새롬 49. 그림 50. 봄 51. 나비 52. 바로 53. 초록 54. 하얀 55. 솔비 56. 초롱 57. 자랑 58. 나리 59. 단비 60. 햇빛 61. 슬기 62. 아라 63. 소라 64. 파란 65. 바름 66. 한나 67. 아람 68. 큰별 69. 다솜 70. 은별 71. 샛별 72. 디나 73. 스라 74. 큰솔 75. 이나 76. 나무 77. 은빛 78. 나랑 79. 새힘 80. 나래 81. 끝별 82. 솔미 83. 다슬 84. 가람 85. 보나 86. 보라미 87. 맑아 - -

ex. (이상은 순수 한글 이름이니 자녀를 출생하여 한글로 이름을 짓고 싶은 분은, 한두 개 골라가서 사용하십시오.)

2020. 12. 13. 한음도사(韓音道士, 역학9단) 강성근 筆

▋ 택일(각종 최고 좋은 날짜 잡는 법)

ex. 오늘은 내가 운명 역술가 경력 30년 이상으로서 각종 최고 좋은 날짜 잡는 택일정법에 대하여 말하겠다.

(가) 우선 사람들이 가장 많이 보는 결혼 날짜와 이사 날짜에 대하여 말하겠다.

1. 결혼 날짜 좋은 날 잡는 법-우선 결혼 당사자 남녀 2명의 사주팔자를 풀어서, 보아야 되는데 여기서 잘못 잡는 사람들이 있어서 상세히 피력한다.

〈우선 남녀 2명의 사주 일주(日柱)를 보아야 되는데, 남녀 2명의 사주일주(四柱日柱) 중에 일지부터 말하겠다.
일지(日支)가 육합(六合)이나 반합(半合)이 되어야 좋고, 아니면 상생(相生)이라도 되어야 되고, 형(刑)이나 충(冲)이나 파(破)나 해(害)나 원진(怨嗔)이, 되면 안 좋고 나쁘다.〈그리고 육합(六合) 중에는 사신(巳申)육합이라는 것이 있는데, 이것은 육합도 되지만 아주 나쁜 형살(刑殺)도 되므로, 이날은 결혼 날짜로 잡으면 나쁘고 심하면 사고(事故)도 발생(發生)할 수 있다. 그러니 이날은 잡지 말라.
그러면 이번에는 일간(日干)을 말하겠다. 일간(日干)은 합(合)이 되는 날보다 남녀 2명의 사주일간(四柱日干)과 상생(相生)되는 날이 더 좋다. 이유는 일간(日干)이 간합(干合=합)이 되면 합(合) 때문에 자유로움을 잃게 되기 때문에, 결혼 날

147

짜 잡을때는 잡지않고 피하는 것이 좋다. 그러나 궁합(宮合)에서는 두 사람을 묶어놓는 성질 때문에 간합(일간합)이 좋다. 그리고 또 특별히 말할 것은 일간(日干)이 상생되는 날 중에서 일간과 겁재(劫財)가 되는 날은 상생(相生)은 되지만, 이날도 결혼 날짜로 잡으면 좋지않고 나쁘니 피하여야 된다. 이유는 겁재(劫財)날은 재물(財物)이 파재(破財)되는 날이고, 부부이별수(夫婦離別)가 되는 날이고, 부부 싸움을 하는 날이니, 결혼 날짜로는 잡지말고 피하는 것이 좋다. 그리고 일간이 충(간충=干冲)되는 날도 나쁘니 잡지말라. 자꾸 트러블이 일어나는 날이다.〉

〈그리고 특별히 피해야 되는 날이 있다. 무엇이냐 하면은 518,400개 사주팔자 중에 특별히 통관(通關) 신(神)이 딱 한 글자만(용신이 됨) 있어서, 통관되어 사주가 유통(流通)되는 사주팔자가 아주 드물게 있는데, 이런 사주팔자를 타고난 사람의 결혼 날짜를 잡을 때는, 통관신(通關神)과 같은 오행(五行)의 글자로 결혼 날짜를 잡든가 아니면 최소한 통관신과 상생(相生)되는 날을 결혼 날짜로 잡아야 되지, 통관신과 배척(排斥)되면 나쁘고 심하면 큰 사고 난다.〉 그럼 이것으로써 결혼 날짜 좋은 날 잡는 법은 그만 마치고, 다음은 이사 가면 좋은 날을 피력하겠다.

2. 이사 날짜 좋은 날 피력하겠다. 우선 항간(巷間)에서 말하는 손(損)이 없다고 하고, 그리고 이사하면 좋은 날이라고

소문나고 모두가 이구동성(異口同聲)으로 떠드는 그런 날은 모든 사람이 다 좋은 날이 절대 아니다. 이유는 모든 사람의 사주팔자(518,400개)가 따로 있고 거의 전부가 다르므로 그냥 항간에서 아주 좋다고 떠도는 말이라든가, 책력에 나와 있는 좋은 날인 생기(生氣) 날이라든가, 복덕(福德) 날이라든가, 그런 날이 모든 사람에게 다 좋은 날이 아니다.

〈우선 이사 가는 사람이 부부라면, 그리고 자녀가 있다면, 우선 2명 부부(夫婦)의 사주팔자 일주(日柱)를 봐야 되는데, 우선 일지(日支)부터 말하겠다. 우선 일지가 육합(六合)이 되면, 좋고 그다음은 상생(相生)되면 이사하는데 좋은 날인데, 여기서도 육합 중에 사신(巳申)육합은, 육합도 되지만 나쁜 형살(刑殺)도 되므로 꼭 이날은 피해야 된다. 그리고 사주일간(四柱日干)과는 충(干冲=간충)되는 날과 서로 오행(五行)은 상생되지만 겁재(劫財)가 되는 날은 나쁘니까, 피해야 한다. 그리고 일간이 합(干合=간합)되는 날도 피해야 된다. 이유는 합(合)되는 날은 합 자체가 끌어안는 격이라서 움직임이 정체되는 날이니, 이사하기 좋은 날에서 될수록 잡지 말고, 가장 좋은 일간(日干)이 서로 상생(相生)되는 날이 가장 좋다.〉

〈그리고 자녀들 사주에서는 특별히 딱 한 개의 오행(五行)의 통관신(通關神)이 통관하는 사주팔자가 있을 시에는 통관신(通關神)과 배척(排斥)되는 날만 피하면 된다. 통관사주는 드물다.〉 나머지는 부모님들에 사주 따라가니 문제될 것이

없다.〉〈그리고 혼자 살고, 혼자만이 이사하는 사람도 위 사항대로 이사하기 좋은 날을 잡으면 된다〉

ex. 그럼 이것으로써 모든 서론을 마치니 참고하고 참작하십시오.

〈아래는 일반인 참고용임〉
 1. 간합-甲己, 乙庚, 丙辛, 丁壬, 戊癸
 2. 간충-甲庚, 乙辛, 丙壬, 丁癸, 戊己
 3. 지지육합-子丑, 寅亥, 卯戌, 辰酉, 巳申, 午未
 4. 지지반합-亥卯, 卯未, 亥未 / 寅午, 午戌, 寅戌 / 巳酉, 酉丑, 巳丑 /申子, 子辰, 申辰

2021. 3. 2. 한음도사(韓音道士. 역학9단) 강성근 作筆

┃ ☆속궁합에 관한 이야기☆

(끝까지 읽으면 도움될 것임)

나는 30년 이상을 운명역술가 일을 하면서 많은 사람의 운명과 많은 남녀의 궁합을 보았다. 그래서 나름대로 정의를 세울 수 있는 경지에 이르렀다. 그래서 오늘은 많은 경력으로 남녀 속궁합에 대한 자세한 이론으로 이야기하려 한다.

남녀 간에는 겉궁합=일명 띠궁합이라고 하는데, 겉궁합은 안 맞아도 별 아무런 상관없고, 결혼하여 살 수 있지만, 인생에서 속궁합은 매우 중요하여, 속궁합이 40% 이하로 매우 안 맞으면 결혼 후 부부지간에 싸울 일이 자꾸 발생하고, 또는 하는 일(직장 또는 사업)이 실패하게 되어 가난하게 되든가, 또는 권태기가 한쪽이 심하게 느끼게 될 수도 있고, 또는 한쪽이 바람기를 참지 못하고 바람을 피우든가, 또는 이성(異性)의 유혹으로 바람을 피우든가, 또는 태어난 자식들이 나쁜 길로만 빠지든가, 아니면 병약하여 키우기 힘들게 되든가, 또는 부부 둘 중의 한 명이 병이 자꾸 들든가 또는 심하면 각종 사고로 신체 불구가 되는 등등의 그런 나쁜 일 등으로 결국 결혼 생활을 이어가지 못하고 가정이 파탄 나서 서로 이별한다. 그럼 어떤 것이 속궁합이 맞는 것이고, 또 어떤 사항이면 속궁합이 안 맞는 것인가를 논하겠다.

※1. 속궁합이 맞는 이론사항=사주상 우선 사주에서 자신이 태어난 일(日 즉, 날짜)의 한자인 육십갑자 글자(예=甲子)의 천간 지지의 두 글자를 남자 것과 여자 것을 대조하여 우선

서로 합(合)이 되어야 좋고, 또는 합이 안되어도 서로 오행(五行)이 상생(相生, 예=金과 水는 상생)되면 좋은 것이고, 그리고 또 서로 충(沖)이나 형(刑)이나 파(破)나 원진(怨嗔)이 안 되어야 좋은 것이다. 또 그리고 중요한 것은 남녀 한쪽 편의 사주에 과다한 오행(예=사주에 水가 4개 이상)이 많을 때는 과다한 오행을 막아주는 건토(乾土)인 술토(戌土)나, 미토(未土)가 상대편의 사주에 있든가, 또는 수(水)기를 빨아들여 순환케 하고 소비하게 하는 건목(乾木)인 갑목(甲木)이나 인목(寅木)이 상대편이 사주에 있든가 하여 사주의 많은 오행을 제어해주는 상황이 되든가 하여야 좋고, 또 한쪽 편의 사주에 중요한 오행(예=남자 사주에는 財, 官, 印이 되는 오행 또는 통관(通關) 오행)인데, 그 오행이 너무 약한 것이 한 개만 있던가 아예 없던가 하여 꼭 필요할 때는 그 오행을 부조해 줄 수 있는 오행이 상대편의 사주에 2개 이상으로 많아야 사주 상 궁합이 좋고 맞는 것이다(예=水가 부족하면 상대편 사주에 水가 2개나 그 이상으로 많아야 좋은 것임).

그래서 이와 같은 사항들이 다 잘 맞으면 찰떡궁합인 90%, 조금 덜 맞으면 80%든 70%든 60~50%든 예측하고 퍼센티지가 잘 맞을수록 궁합이 좋은 것이고 잘 맞을수록 잘살고 또는 나쁜 역경이 와도 헤어지지 않고 살게되고, 아예 잘 안 맞아서 40% 이하가 되면 맨 위 내용과 같이 되어서 나쁘게 되고 이별한다. 그럼 이상으로 좋은 궁합 서론은 마치고 나쁜 궁합 이론으로 들어가겠다.

※2. 속궁합이 안 맞는 이론 사항=사주 상 자신이 태어난 날짜의 한자인 육십갑자의 글자(예=甲子)를 남녀 서로의 글

자에 합(合)도 되지 않고 서로 상생(相生)도 되지 않고, 상극(相剋)(예=金과 木은 서로 상극임)이 되고, 또는 서로 남녀 타고난 날짜의 육십갑자 한문(예=甲子)을 대조하여 서로 충(冲)〈예=甲子는 庚午가 있으면 서로 충이 됨〉이나 형(刑)이나 파(破)나 원진(怨嗔)이 되면 궁합이 안 좋고 나쁜 것이 되며, 또 남녀 한쪽 편의 사주에 물(水가 4개 이상)이 많은데 그 물 즉, 수(水)기를 막아주는 건토(戌토나 未토)가 상대편 사주에 없든가 또는 그 수(水)기를 빨아주는 건목(甲목이나 寅목)이 없을 때는 궁합이 좋지 않고 안 맞는 궁합이다.

위와 같은 안 맞고 나쁜 사항들이 더 많을수록 궁합이 퍼센티지로 40% 이하의 또는 그 이하(20%~10% 정도)의 나쁜 궁합이라고 말할 수 있다. 궁합이 아주 극히 나쁘면 나중을 위해서라도 서로 결혼 하지 않는 것이 좋다.

※ 이상과 같이 서론하니 모든 결혼 미정의 남녀들이나 또는 그 부모님들은 참고하고 참작하도록 하시는 것이, 나중을 위해서라도 좋을 것이다. 이상 서론을 마치겠습니다.

ex. 〈예, 사주팔자는 총 518,400개로서 매우 방대하고, 또 역학은 많은 세월을 요하는 학문이므로, 여기 속궁합에 대해서 알기 쉽게 풀어서 써놓았으니, 천천히 읽으시면 모든 사람들은 이해가 가고 속궁합이 이런 것이구나, 하고 제대로 알 것입니다. 참고하십시오.〉

2021. 1. 3. 한음도사(韓音道士, 역학9단) 강성근 作筆

▌사주 보는 법(실전정법)

내가 오늘은 운명 역술가 경력 30년이 넘고, 역학 9단의 실력으로 실전 사주 보는데, 절대적으로 제대로 알아야 되는 몇 가지를 피력하겠다. 〈왜냐하면 수년씩 영업하는 운명 역술가라든가, 또 사주학 책을 써서 발간하여 초대형서점에 버젓이 나온 책 중에서도, 절대적 기본이 되어야 할 내용도 잘 모르고 헷갈려 하면서 책을 발간한 사람이 있어서 이 지면을 통해 말한다.〉

ex. 우선 사주를 볼 때, 누구나 기본이 되는 천간(天干) 지지(地支) 8글자를 써놓고 사주를 본다. 여기까지는 누구나 다 아는 사실이고, 다음 단계는 무슨 격국(格局)인가를 봐야 된다. 격국볼 때 천간합(天干合), 지지육합(地支六合), 지지삼합(地地三合), 지지반합(地支半合)을 필히 잘 살펴보아야 한다. 즉, 합력(合力)에 의하여 사주격국(四柱格局)이 다른 격국으로 바뀌기도 하니까 말이다. 이 부분을 잘못 보면 용신(用神)을 잘못 잡게 되고, 따라서 사람의 운명도 잘못 판단하게 된다. 그러니 이 부분을 꼭 요주의하라.

〈특별히 종격(從格)사주 볼 때는, 충(沖)-간충(干沖), 지충(支沖)도 꼭 살펴서 사주격국을 보아야 된다.〉 참고하라.

그다음에는 용신(用神)을 심혈을 기울여 잡아야 한다. 그리고 그 다음에는 여러 가지 살(殺) 중에 대체로 맞는 길살(吉殺)이나 흉살(凶殺)만을 골라서, 사주에 붙여서 봐야 한다. 〈여기서 중요한 것은 절대적으로 사주격국(四柱格局)만 보고 운명을 판단해서는 안 된다. 왜냐하면 작용력이 있는 흉살(凶殺=형刑, 충冲, 파破, 해害 등등 많음)들이 운명을 좌지우지 많은 작용력을 한다.〉 그러면 사주 운명은 위와 같은 방식(方式)으로 보면, 제대로 볼 수 있고 이것이 실전정법 중 하나이다.

또 그리고 절대적으로 알아야 할 것은 사주 운명은 첫 절기인 입춘(立春)을 기준으로 설정하여 보아야 한다. 즉 입춘(立春)이 지나면, 음력으로 날짜가 당해 연도 12월이라도 다음 연도로 사주를 뽑아야 되고, 봐야 된다. 즉 경자(庚子)년 음력 12월이라도, 입춘(立春)이 지나면 새해인 신축(辛丑)년으로 사주를 뽑아서 봐야 된다. 그렇게 하여서 봐야 되지 그렇게 사주를 뽑지 않고 사주를 보면 사주가 안 맞고 틀린다. 꼭 알아둘 것.

(초대형서점에 나온 사주학 책에서조차도 그 부분을 헷갈려 하고 제대로 피력(披瀝), 즉 말하지 못하였더라.)

(가) 그리고 두 번째 피력할 말은 시간을 설정하는 것인데 이 부분도 말이 많은데, 오후 11시부터를 자시(子時)로 사주를 뽑을 것인가, 아니면 오후 11시 30분부터를 자시(子時)로 사주를 뽑을 것인가를 두고, 2가지 주장들이 나오고, 또 책에도 오후 11시부터를 자시(子時)로 본다고 쓴 책이 있는가 하면, 어떤 책은 오후 11시 30분부터 자시(子時)로 본다고 쓴 책이 있는데, 내가 30년 이상의 경력으로, 운명을 보아온

결과 오후 11시부터 자시(子時)로 보고 사주를 뽑아야 더 정확성이 있고 맞더라. 〈그리고 오후 11시가 넘으면 다음 날 날짜로 사주를 뽑아서 봐야 되고 그래야 맞는다. 내가 왜 이런 말을 하느냐 하면, 어떤 사주학책에서는 시(時)는 자시(子時)로 보되, 날짜는 다음 날 날짜의 일진(日辰)으로 보지 않고, 그날의 일진(日辰)으로 본다고 책에 써놓았던데, 그렇게 하면 사주가 맞지 않고, 틀리더라.〉

ex. 〈그리고 1988년도 같이 예-오전 7시를 오전 8시로 한 것같이 즉, 1시간 앞당겨 놓은 '썸머타임'은 사주 뽑는데, 반드시 꼭 참고해야 되니까, 그 여러 번의 '썸머타임' 해(年)를 잘 모르는 사람은, 뒤에 자세한 내용이 들어있는 '썸머타임표'를 써놓았으니, 그것을 읽어보고 참고하면 될 것임.〉

(나) 이번에는 사주대운 보는 법을 정확히 말하겠다. 예-대운(大運)이 신축(辛丑)이라면, 이것 천간(天干)과 지지(地支)를 10년간의 운(運)으로 판단하는데, 꼭 천간과 지지를 각각 5년간씩 분리해서 사주에 대조하여 보아야 하며, 절대 지지(地支)만으로 10년 보고 판단해서는 안 되고 틀린다. 〈그리고 또 천간을 5년간으로 볼 때 매우 중요한 사항은 천간 5년간 중 3년은 100% 작용하고, 다음 2년은 한 70%밖에 작용을 안 한다. 30년을 넘게 사주를 봐도 항상 대운천간 5년운 중에, 3년간은 100%의 운으로 잘 작용 하다가, 다음 2년간은 운이 70% 정도로 덜 작용하더라. 나머지 30% 정도는 아래

지지(地支) 대운의 작용력이 생긴다. 꼭 참고하라.〉

(다) 이번에는 일 년씩 보는 년운(年運)을 보는 법을 정확히 말하겠다. 어떤 사람은 책에다 년운은 천간(天干)만을 가지고 1년의 운을 판단한다고 그렇게 써놓았던데, 그리하면 맞지 않고 정확히 천간과 지지를 다 가지고 사주에 대조하여 1년운을 봐야 맞고 틀리지 않는다. 〈즉 올해같이 신축(辛丑)년이면, 신(辛)과 축(丑) 글자 모두를 사주에 대조하여 봐야 맞지, 그렇게 안 보면 운이 맞지 않고 틀린다.〉

(라) 이제 1년에 1월부터 12월까지 열두 달 있는 달운(月運) 보는 법을 말하겠다. 한달 한달, 달(月)도 마찬가지로 월건(月建)이 1월 달이 경인(庚寅)이라면, 경인(庚寅) 두 글자 전부를 사주에 대조하여 보아야 된다. 그냥 천간 글자인 경(庚)자만 사주에 대조하여 보면 안 되고 틀린다.

ex. 그러면 이것으로써 실전사주 보는 데 절대적으로 알아야 되는 기본사항을 모두 피력하였다. 꼭 참고하고 참작하라. 〈절대적으로 기본사항을 헷갈려 하고 모르고, 사주를 뽑아서 보면 맞지 않고 다 틀린다.〉 그럼 이것으로써 실전사주 기본법을 모두 마치겠습니다. 꼭 반드시 참고들 하십시오.

2021. 2. 28. 한음도사(韓音道士, 역학9단) 강성근 作筆

▌사주(신강사주, 신약사주)론(論)

내가 오늘 운명 역학 30년 이상의 경력으로 신강사주(身强四柱)와 신약사주(身弱四柱)에 대하여 제대로 된 이론(理論)을 펼치겠다.

ex. 〈특수격인 종격(從格)과 화격(化格)은 별도로 친다.〉

〈사주가 신강사주일 때〉

(가) 사주가 55%~85%로 신강(身强)하면, 자신의 사주팔자에 타고난 관성(官星=정관, 편관)이나, 재성(財星=정재, 편재)이 모두 자신의 것이 되어서, 운(運)이 좋게 흐르면, 사주에 타고난 만큼의, 벼슬을 충분히 다 이루게 된다. 또 사주에 타고난 만큼의 재물(財物)을, 충분히 다 모을 수 있게 된다.

(나) 또 사주가 55%~85%로 신강(身强)하면서, 자신의 사주팔자에 타고난, 식상(食傷=식신, 상관)이 2~4개로 왕성(旺盛)하면, 이 식상의 기술성(技術性)이나, 예술성(藝術性)이 모두 자신의 것이 되어서, 운(運)이 좋게 흐르면, 기술자로서 좋게, 또는 크게 출세(出世)하거나, 예술가로 좋게, 또는 크게 출세(出世)하게 된다.

〈사주가 신약사주일 때〉

(가). 사주가 10%~40%로 신약사주(身弱四柱)면, 자신의 사주에 타고난 관성(官星=정관, 편관)이 다 자신의 것이 되지 않

아서, 운(運)이 좋게 흘러도, 아주 벼슬(공무원이나 회사에서 직책)이 사주팔자에 타고난 만큼의, 충분한 성공(成功)을 다 이루지 못하게 된다. 또한 운(運)이 나쁜 쪽으로 흐를 때는 벼슬(공무원이나 회사에서 직책)이 떨어지고, 심하면 몸을 다치거나, 몸에 중병(重病)이 들게 되든가 하게 되고, 또는 죄를 짓고 옥살이를 하게 된다.

(나) 또 사주에 타고난 재성(財星=정재, 편재)도, 다 자신의 재물(財物)이 될 수 없어서, 운(運)이 좋게 흘러도, 사주에 타고난 만큼의, 부(富=돈, 또는 재산 모으는것)를 다 이룰 수 없게 된다. 만약에 운(運)이 나쁘게 흘러가면, 남의 돈이나 만지게 되거나, 또는 허공(虛空)에 뜬 돈이 되어서, 돈(錢)도 못 벌게 되고, 남의 돈도 만지지를 못하게 된다. 심하면 돈 때문에 각종 사고(事故)가 터지고, 또 부도(不渡)를 맞든가 하여 망(亡)하게 되고, 또는 돈 때문에 죄(罪)를 지어서, 옥(獄)살이를 하게 된다.

(다) 또 위 내용같이 신약한 사주팔자는 식상(食傷=식신, 상관)이 2~4개로 왕성(旺盛)하여도, 그리고 운(運)이 좋게 흘러도 사주팔자에 타고난 만큼의, 충분한 기술(技術) 또는 예술(藝術)로서, 크게 성공(成功)을 다 이룰 수 없게 된다. 만약에 운(運)이 나쁘게 흘러가면, 실력(實力)이 있더라도, 인정(認定)을 제대로 못 받게 된다.

(라) 내가 운명 역학(易術學) 30년 이상으로서 많고 많은 사람들의 사주팔자의 운명(運命)들을 보아 왔지만, 신강사주(身强四柱)와 신약사주(身弱四柱)와의, 사주팔자에 들어있는 오행(五行) 신(神)들의 성공(成功) 작용력(作用力)이 위에서 말한 것과 같이 차이(差異)가 있더라. 참고하라.

(마) 참고사항- 여기서 사주가 10% 이하로 아주 신약(身弱)하면서, 충(冲)이나 합(合)에 의해서, 진종격(眞從格)이나 가종격(假從格)도 안된, 그냥 10% 이하의 신약(身弱)사주팔자들은, 대다수가 태어나면서부터, 몸에 장애(障礙)가 많은 불구자(不具者)로 태어나거나, 아니면 얼마 살지 못하고 젊은 나이에 각종사고(各種事故)로, 자유롭지 못하고 불구자가 되든가 하고, 또 다행히 운로(運路)가 좋아서 불구자를 면(免)했다 할지라도 거의 다가 중년(重年)에는 사망(死亡)한다. 절대로 오래 살지 못한다.

(바) 또 아주 신강사주(身强四柱)에 속하는 85% 이상~95% 이하의 사주팔자들도, 운로(運路)가 조금만 나쁘면 파재(破財=재물을 잃거나 흩어지는 것)한다. 그리고 95% 이상 신강(身强)한 사주팔자들은, 충(冲)이나 합(合)이나 오행(五行) 십신(十神)들의 기세(氣勢)에 의해서 거의 다가, 왕세(旺勢=왕한세력)를 쫓아가는, 진종격(眞從格)이나 가종격(假從格)이 된다.

(사) 참고-또 사주팔자의 일간(日干)이, 양일간(陽日干=甲

갑, 丙병, 戊무, 庚경, 壬임)으로 태어나면, 종격사주(從格四柱)가 되어도, 피치 못해서 왕세(旺勢)에 따르는, 가종격(假從格) 사주들이 많고, 만약 사주팔자 일간(日干)이, 음일간(陰日干=乙을, 丁정, 己기, 辛신, 癸계)을 타고나면, 왕세(旺勢=왕한세력)에 진정(眞情)으로, 쫓아가는 진종격(眞從格) 사주들이 많다. 꼭 참고하라.

〈그리고 덧붙여 말할 것은, 진종격(眞從格) 사주를 타고나면, 가종격(假從格) 사주를 타고난 사람보다, 똑같은 좋은 운이라도 더 크게 성공(成功)하고, 또 똑같은 나쁜 운에는, 가종격(假從格) 사주를 타고난, 사람들이 더 나쁘고 큰 액운(厄運)을 당한다. 필히 참고하라.〉

〈〈〈그리고 이번에는, 화격(化格) 사주에 대하여 논(論)하면 화격사주(化格四柱) 중에서 진화격(眞化格)과 가화격(假化格)에 대하여 말하겠다. 한마디로 쉽게 말해서, 진화격(眞化格) 사주를, 타고나면, 어느 한 분야에서, 최고(最高)의 능력자(能力者)가 되어서, 책임자급 지도자급이 된다. 그러나 만약 가화격(假化格)의 사주를 타고나면, 사회(社會)에서나 회사(會社)에서나, 어느 분야를 막론(莫論)하고, 실패를 하게 되어서, 평생을 아무것도 성공(成功)하지를 못하고 살게 된다. 평생 무엇을 해도 실패(失敗)하는 아주 나쁜 사주에 속(束)한다.〉〉〉

(아) 그리고 윗부분에서, 논(論)하지 않은 (40% 이상~55% 이

하) 사주팔자 부분은, 신강사주(身强四柱)나 신약사주(身弱四柱)의 어느 한쪽 부분에도 치우쳐서 말하면 안 될 부류(部類)의 사주들이다. 그래서 이 부분에 속(束)하는 사주들은 그때그때 사주 볼 때마다, 〈〈격국(格局)과 길흉살(吉凶殺)과 운로(運路)를 보고 판단하면, 될 것이다.〉〉 이들 사주 중에는 중화(中和)된 사주들도, 있고 또 오행(五行)이 3개밖에 없고, 그것 또한 치우쳐서 있어서, 사주가 중화(中和)도 안 될뿐더러 격(格) 또한 떨어지는 사주가 있기도 하고, 또 오행이 모두 5개가 다 있을지라도, 그것이 중요한 재관인(財=돈, 官=벼슬, 印=문서)으로 좋게 되어있지 않고, 견겁(肩劫=비견, 겁재)들이 뿌리가 더 깊게 되어있고, 사주 내의 위치도 더 좋은 곳을, 차지하고 있으면, 이런 사주는 오행 5글자가 다 있어도 중화(中和)된 좋은 사주가 아니고, 격(格)이 떨어지고 나쁜 사주가 된다. 모든 사주팔자(518,400개)가 다 그러하여, 원래는 묶음으로 판단(判斷)해서는 안 될 좀 부족한 부분들이 있지만, 큰 틀에서 포괄(包括)적으로 논(論)할수 있는 부분이 있고, 그리하면 안 될 부분이 있는 것이어서, 위와 같이 논(論)하였다. 후학(後學)들은 알겠는가? 그리고 포괄(包括)적으로라도 논(論)하여 놓는 것이, 후학(後學)들이 사주학(命理學=명리학이라고도 함)을 이해하고 배우는 데 빠를 것이다. 이렇게 포괄적으로 나누어 놓지 않으면, 사주학 배우는데, 더 수많은 시간(時間)과 세월(歲月)이 필요하게 된다. 절대 관과(觀過)해서 허투루 볼 일이 아니다. 반드시 참고하라.

〈사주는 그 개수가 총 518,400개로 매우 많고 방대합니다.〉

ex. 그럼 이것으로써, 신강사주, 신약사주에 대하여 논(論)하여 피력(披瀝)한 모든 것을 마친다. 참고하고 참작하십시오.

2021. 9. 1.일 한음도사(韓音道士. 역학9단) 강성근 作筆

▌ <사주-지장간(支藏干), 도표>

사주지지 (四柱地支)	寅	卯	辰	巳	午	未	申	酉	戌	亥	子	丑
초기(初氣) =(3일)-기운	戊	甲	乙	戊	丙	丁	戊	庚	辛	戊	壬	癸
중기(中氣) =(7일)-기운	丙		癸	庚		乙	壬		丁	甲		辛
정기(正氣) =(20일)-기운	甲	乙	戊	丙	丁	己	庚	辛	戊	壬	癸	己

ex. 위 도표가 사주 지장간(支藏干) 도표인데, 내가 운명역술가 30년 이상의 경력(經歷)으로 정확히 효능(效能)에 대하여 논(論)하겠다.

(가) 위 도표(圖表)에서 보듯이, 맨 윗부분 사주지지(四柱地支)에 대하여, 나왔고 그 밑으로 초기(初氣), 중기(中氣), 정기(正氣)가 있는데, 〈정기(正氣)는, 사주지지=총 4글자 쓸 때, 바로 겉면으로 보이는 글자(文字)가 바로 정기(正氣) 글자이다. 여기서 초보자(初步者)들이 꼭 알아둘 것은, 사주팔자(四柱八字) 쓸 때, 윗부분, 즉 천간(天干) 글자= 총 4글자는 어느 글자이든, 지장간이라는 것이 없다. 즉 다시 말하면 사주팔자 지지(地支) 글자에만, 이렇게 "초기, 중기, 정기"의 글자들이 속에 숨어있어서, 지장간(支藏干)이라고 하는 것이다. 초보자님들 아시겠는가?

〈이해를 돕기 위해 도표를 만들면 아래 도표〉

사주천간 글자	甲	乙	丙	丁	戊	己	庚	辛	壬	癸	천간은 지장간이 없음
사주지지 글자	寅	卯	辰	巳	午	未	申	酉	戌	亥	子 丑

(나). 이렇게 사주팔자의 천간(天干)이 되는 글자들에는, 지장간(支藏干)이라는, 속에 숨어있는 글자도 없을뿐더러, 지장간이란 말 자체를 쓰지 않고, 오직 사주팔자 총 8글자 중 아랫부분에 쓰는, 아래 글자, 즉 지지(地支)가 되는 글자들에만 지장간(支藏干)이라는 글자들이 위 도표와 같이 숨어있다. 이렇게 초보자(初步者)들을 위해 세심(細心)하게 글을 써 놓았으니 다들 참고하라.

(다) 그럼 이제 본 설명에 들어간다.

사주 풀 때 지장간(支藏干) 중에, 초기(初氣)라고 되어있는 부분은 그 사령(司令)의 기운(氣運)이 3일, 즉 분수로 치면, 1/10의 기운(氣運) 밖에 없어서, 사주 풀어 볼 때, 완전(完全)히 무시(無視)하여도 된다. 즉 거의 효력(效力)이 없어서 채용(採用)을 못 한다. 즉 쓰지 못함–너무 기운이 약해서 말이다.

그러나 지장간(支藏干) 중에서, 중기(中氣)라고 나온 부분은, 7일 즉 분수로 치면 30일÷7일=4가 나오고, 나머지가 나오니까, 즉 1/4의 기운(氣運)이 있는 것이다. 즉, 다시 말하면 정식(正式) 사주팔자의 지지(地支) 글자의 4분의 1이라는 힘이 있는 것이다. 그래서 사주팔자 풀어 볼 때, 꼭 참작하여야 되고, 또 사주팔자에 용신(用神)이 겉으로 나와 있지 않고 없을 때는, 꼭 지장간(支藏干) 속에 있는 중기(中氣)의 오행 글자로 용신(用神)을 잡아야 한다. 그리고 재(정재=正財, 편재=偏財), 이러한 재성(財星)이 사주팔자(四柱八字) 총 8글자 겉면에 나와 있지 않고, 없을 때도, 지장간의 중기(中氣)에서 찾아서, 재물복(財物福), 여부를 판단(判斷)해야 한다. 그리고 관성(정관=正官, 편관=偏官)이 사주팔자 총 8글자의 겉면에 나와 있지 않고, 없을 때도, 지장간(支藏干) 속의 중기(中氣)에서 찾아서, 직업(職業)복 여부도 판단(判斷)해야 된다. 여자일 때는, 남편(男便)복 여부도 판단해야 된다. 중기에서 찾아서 말이다. 그럼 중기 부분(部分)은 이만 설명하겠다. 참고하라.

(라) 그리고 지장간(支藏干)의 도표(圖表)에서 정기(正氣)라고 나온 부분은 사주팔자 볼 때, 바로 겉면에 나온 글자를 말하는 것이고, 그리고 이 정기(正氣)의 글자들이 가장 힘이, 즉, 기운(氣運)이 강력한 것이 되니까, 사주팔자를 풀어 볼 때, 반드시 꼭 잘 살펴서 보고, 사주격국(四柱格局)과 용신(用神)을 잡아야 한다. 이때 덧붙일 말은, 신(用神)은 사주팔자의 지지(地支)에만 있는 것이 아니고, 용신(用神)은 사주팔자에 따라서 사주천간(四柱天干)에도 있고, 천간(天干)에도 흔한 게 있는 편이다. 사주팔자가 워낙 많은 총 518,400개이므로 그렇다.

그리고 이 정기(正氣)가, 즉 정기의 글자가 사주팔자의 격국(格局)이 많이 되고, 사주천간(天干)보다도 몇 배의 강력한 기운(氣運)이 되니, 꼭 참고하라. 더 말하면, 사주팔자의 월지(月支)가 되는 부분(部分)에 자리를 잡은, 월지 정기(正氣)는 사주팔자 총 8글자를 100%로 보았을 때, 월지 정기가 30%의 기운(氣運)을 차지한다.

《《《보다 자세히 말하면, 사주월지(月支)=30%이고, 사주년지(年支)=15%~20%이고, 사주일지(日支)=10%~15%이고, 사주시지=10%~13%이고, 그 다음은, 사주천간(天干)에 대하여 말하면, 사주년간(年干)=7%~8%이고, 사주월간(月干)=7%~9%이고, 사주시간(時干)=7%~8%이고, 그 다음은 사주일간(日干)인데, 사주일간은 사주팔자 총 8글자가, 힘(力)이 모이거나, 빼내어(극剋도 포함) 가거나 하는 양자택일(兩者擇一)이 되므로, 몇 %라는 말을 안 쓰고, 사주팔자 총 8글자 중, 사주일간(日干=자기 자신도 됨)은 빼고, 총 7글자가, 사주일간(日干)을 얼마나 도와주는 힘이 있는가? 아니면 얼마나 빼내어(극하는 오행도 포함) 가는가? 등등을 아주 잘 계산(計算)하여, 사주팔자가 몇 %로 신강(身强)한 사주다. 또는 몇 %로 신약(身弱)한 사주다. 하면 된다.

여기서 반드시 알아야 할 것은 사주의 천간에서 합(合)되는 사주 천간합(天干合)과, 사주의 지지(地支)의 육합(六合), 삼합(三合), 반합(半合)을 꼭 자세히 살펴서 합(合)이 되어있나를 보아야 된다. 왜냐하면 합(合)이 온전(穩全)하고 강력(强力)히 되어있으면, 그 합력(合力)에 의해서 오행(五行)이 바뀌므로, 바뀐 것은 바뀐 오행(五行)이 무엇으로 되었나를 잘 살펴서, 윗부분(部分)에서 말한 것과 같은, 퍼센티지(%)에서, 반드시 가감(加減)하여, 보아야 되고, 그렇게 하여, 신강사주 또는 신약사주를 가려야 한다. 꼭 참고하라.〉〉〉

그리고 마지막으로 여기서 재차(再次) 말하면, 최고 강력(强力)한 기운(氣運)을 발휘하는 것은 사주월지(月支)이고, 더 자세히 말하면 사주-월지정기(月支正氣)이다. 30%를 지배(支配)한다. 반드시 사주 볼 때 참고하라.

ex. 여기서 한 가지 꼭 덧붙일 말은, 아주 극히 사주 내에서 용신(用神)을 잡을 수가 없고, 또 지장간(支藏干)의 중기(中氣)에서도 잡을 수가 없어서 아주 부득불 초기(初氣=여기(餘氣)라고도 함)에서 용신(用神)을 잡고 그렇게 밖에 없는 사주일 때는, 그 사람의 인생(人生) 삶은, 여느 평범한 사람처럼 살지 못하고, 얼마 못살고 젊은 청춘(青春)에 불구자(不具者)가 되거나, 아니면 몸에 나쁜 병이 들어서 심히 골골하면서 살게 되든가, 아니면 술(酒)에 아주 중독자(重毒者)가 되어서 아주 허랑방탕(虛浪放宕)하게 살던가, 아니면 마약(麻藥)중독자(重毒者)가 되어서 세상에서 다시는 빛(光)을 못 보는 아주 나쁜 삶을 살게 된다.
이만큼 용신(用神)이 중요한 것이고 무시(無視)하지 못하는 것이다. 여기서 또 덧붙일 말은 지장간의 초기(初氣)는 여기(餘氣)라고도 하는데, 이 초기(初氣)는 사주의 조후(燥候) 관계

㈜關係) 볼 때든가, 또 사주팔자의 오행(五行)신들의 뿌리(根)
볼 때도 참작하여 본다. 참고하라. 그리고 이름 지을 때, 반
드시 사주 내의 오행(五行)을 살필 때, 참고하여, 이름 짓는
데는 꼭 필요하다. 참고하라. 〈그리고 초기에서는 거의 용
신을 잡는 일이 없다. 꼭 참고하라. 끝〉

ex. 그럼 이것으로써, 사주팔자의 지장간(支藏干)에 대하
여 피력(披瀝)한 모든 실전(實戰)론을 마친다. 참고하고 참작
하십시오.

2021. 10. 5. 한음도사(韓音道士, 역학9단) 강성근 作筆

■ ☆사주 용신론(用神論)☆

ex. 사주팔자에서 용신(用神)은 매우 중요하므로 여기에 별도로 이론(理論)을 논(論)한다. 후학(後學)들이나 이 학문에 관심(關心)을 갖는 모든 이(者)들은 참고하고 읽으시기 바란다.

(가) 첫째로 사주일간(四柱日干)은 자기 자신을 뜻한다. 그리고 차(車)에 비유하면 자동차 전체를 보고, 그리고 용신(用神)은 운전대에 비유한다.

그래서 인생행로에 있어서 차체(車體)도 중요하지만, 운전대도 어느 방향이든 가고 싶은 방향으로 갈 때 매우 중요한 부속품이므로, 이것을 인간에 비유하면 자신의 인생행로(人生行路)에 있어서도 방향타가 되고, 미래의 진로(進路)가 되므로 매우 중요하다.

(나) 그러면 위 "가"의 내용을 볼 때 사주팔자에서 이 용신(用神)이라는 것이 매우 중요한 것이므로, 정식(正式) 사주 볼 때 그냥 대충 간과(看過)해서는 안된다. 그래서 논(論)하는데,

1. 가장 최우선 사주팔자에서 용신은 사주팔자 8글자의 겉 부분에 나와 있어야 한다.

2. 두 번째 용신은 사주팔자 내(內)에서 천간(天干)에 있는 것보다 지지(地支)에 있는 것이 더 좋고, 지지 중에서도 월지(月支)에 있으면서 강(强)하게, 즉, 튼튼하게 있으면 좋고, 두

번째로는 년지(年支)에 강(强)하게 있으면 좋다. 그 다음은 일지(日支)나 시지(時支)에 아주 아무런 탈 없이 튼튼하게 박혀〈즉, 충극(冲剋) 되어 뿌리가 심히 흔들리면 나쁨〉 있으면 좋다.

3. 그런데 여기서 하나 중요한 것은 그럼 천간(天干)에 있는 것은 모두 하나같이 지지(地支)에 있는 것만 못하느냐 하면 꼭 그렇지 않고, 천간(天干)에 있을 때는 월간(月干)에 잘 되어있고 (즉, 충이나 합(合)이 안 되어 있어야 좋음) 그 뿌리가 아주 튼튼하게 있으면 좋은 것이 되고, 출세(出世)나 돈(錢) 버는 데 좋은 역할을 한다.

그리고 그 다음이 년간(年干)이나 시간(時干)에 있어도 (충이나 합이 안 되어 있고) 그 뿌리가 튼튼하면 좋은 것이다.

4. 그런데 여기서 꼭 알아야 할 것은 뿌리라고 하는 것은 용신오행(用神五行)이 토(土)가 되며 정재(正財)라고 할 때, 그 뿌리가 되는 것은 토(土)를 생조(生助)하는 화(火)라는 식상(食傷=식신, 상관)이 되는 것이다.

5. 그리고 만약, 용신이 사주지지(地支)에 있을 때라도, 심한 충극(冲剋)이나 심한 합(合)이 안 되어 있어야 좋다. 즉, 종격(從格)이나 화격(化格)이 되는 사주들은 빼놓고 전부 통틀어서 말이다.

6. 그러면 다음 부분을 말하겠다.

보편적으로 사주팔자에서 용신(用神)이 모두 겉에 나온 것이 그리고 뿌리가 있어서 튼튼한 것이 최고지만 혹간은 용신이 사주팔자 겉에 나와 있지 않고, 지장간(支藏干=地藏干=두 낱말 모두 맞음) 속에 숨어서 있는 사주팔자들이 있다.

〈이러한 사주팔자를 타고난 사람들은 사주팔자 겉에 타고난 팔자들보다, 출세(出世)나 돈(錢) 버는 데 지장(支障)이 있고, 실제로도 그렇다.〉

7. 그래서 용신은 모두 사주팔자 겉에 나와 있어야 좋고, 그중에서도 보편적으로 지지(地支)가 더 좋고 뿌리가 튼튼해야 좋다. 만약에 사주팔자 천간(天干)에 용신이 있더라도 윗부분에서 말한 것과 같이 있고, 그 뿌리가 튼튼하면 좋다.

8. 만약에 용신이 사주팔자 내(內)에서 숨어서 있으면서 그 뿌리가 없고 약(弱)하게 되어 있으면, 그 사주팔자 당사자인 사람은 매사 힘차게 활동하며 살지도 못할뿐더러 성공(成功)도 못한다.

9. 만약에 용신이 숨(藏)어 있으면서 그 뿌리가 아예 없고 매우 약(弱)하게 되어 있으면, 그 사주팔자 당사자는 그냥 보통 사람의 삶(生)을 살지 못하고, 심한 마약(麻藥)중독자나, 심한 알코올 즉, 술(酒)중독자가 되어서, 평생 죽는 날까지 반폐인(半廢人)이나, 완전 폐인(廢人)으로 생(生)을 살다가

죽게 된다. 만약 그렇지 않게 되면 심한 몹쓸 병을 평생 앓다가 죽게 된다. 절대 보통의 인간(人間)의 삶(生)은 꿈에서나 볼 일이 된다. 그렇게 용신(用神)이 중요(重要)하다.

☆사주 팔자 예식☆

시	일	월	년
壬정재	己일간	癸편재	辛식신
申상관	未비견	巳인수	丑비견
水,金	土,土	水,火	金,土

cf. 이 사주팔자는 신강사주(身强四柱)이면서, 즉 일간(日干)이 강하면서 용신(用神)이 되는 정재, 편재 2개가 강(强)해서 인생을 살면서 비교적 아주 대흉운(大凶運)을 빼놓고는 돈 잘 버는 중부자(中富者) 팔자다.

(가) 그러면 왜 일간이 강한 신강사주팔자느냐 하면은 일간이 토(土)인데, 토(土)를 도우는 월사화—인수(月巳火—印綬)가 강한 것이 있고, 년에 축토(丑土)가 같은 오행(五行)으로 일간을 돕고, 또 일지 미토(未土)가 같은 오행(五行)으로 일간(日干)을 도우므로 신강사주(身强四柱)가 되는 것이다.

(나). 그리고 용신이 되는 계수, 임수(癸水=편재, 壬水=정재)가 년간의 신금(辛金=식신)과 시지의 신금(申金=상관)의 도움 즉, 금생수(金生水)로 도움을 받으니 그 뿌리가 2개나 되며 아주 튼튼한 것이다. 〈그래서 이 당사자 사람은 인생(人

生) 삶을 힘차게 살게 되며, 사주 대운로(大運路)가 좋으면 중
부자, 최고 수천억대(2~3천 억대)까지도 벌어서 잘살게 되면
서, 자신의 능력(能力)도 최대한 발휘(發揮)할 수 있게 되는
것이다. 꼭 반드시 후학(後學)들은 참고하라.

   ex. 그럼 이것으로써 실전 사주팔자 용신론(用神論)에 대
하여 피력(披瀝)한 모든 이론(理論)을 마친다. 참고하고 참작
하십시오.

   ex. 〈사주는 그 개수가 총 518,400개로 매우 많고 방대합
니다.〉

2021. 11. 21. 한음도사(韓音道士, 역학9단) 강성근 作筆

▌ 오십일만팔천사백 개(사주연구론)

1. 사주팔자는 그 개수가 무려 518,400개이고 우리나라 인구(5천만 명이 넘음) 중에 자신과 똑같은 사주는 수학적으로 정확하게 120명 정도이다. 그럼 자신과 똑같은 사주를 타고난 120명이 다 똑같은 인생 삶을 사느냐면, 꼭 똑같은 삶을 살지는 않는데, 다음과 같은 30년 이상의 나의 연구 이론을 들으면 이해가 가고 수긍이 갈 것이다.

(똑같은 사주팔자의 운명)

1. 사주에 운이 매우 흥했을 때—사람에 따라서 큰 액운을 당했던가, 아니면 작은 나쁜 액운이라도 당했다.
2. 남자 사주에 여자운이 강력하게 들어왔을 때-정식 결혼을 했던가 애인이나 여자가 생겼다.
3. 여자 사주에 남자운이 강력하게 들어왔을 때-정식 결혼을 했던가 애인이나 남자가 생겼다.
4. 사업이나 직업실패운이 들어왔을 때- 크게 부도 등을 맞아 사업이 망했던가, 운영하기가 매우 힘들게 됐다. 직장일 경우에는 퇴직했든가 나쁜 직장으로 이직했다.
5. 부부운의 작용-어떤 배우자(남편 또는 아내)를 만났는가에 따라서 이별한 사람도 있었고, 그냥 이별 안 하고 잘 사는 사람도 있었다. (이것은 속궁합이 중요한 부문임)
6. 자녀-어떤 배우자(남편 또는 아내)를 만났는가에 따라서, 자녀 수가 적기도 했고 많기도 했다.
7. 직업- 똑같은 직업은 아니었지만, 같은 계열이나 계통

에서 일하는 사람들이 상대적으로 많았다,

8. 수명(매우 나쁜 사망운에)-죽은 사람들이 퍼센티지 학적으로 죽은 사람들이 반 정도 조금 넘었고, 병원에서의 좋은 치료나 수술 등등으로 더 산 사람도 있었다.

〈이상은 내가 30년 이상을 운명 역술가 일을 하면서 많은 사람들의 운명을 보아오면서 연구하여 통계적으로 맞춰보고 써놓은 것이다.〉

ex. 그리고 꼭 참고해야 할 것은 인터넷 사주(요금-1만 원부터 3만 원까지)는 그냥 재미로만 봐야 된다. 꼭 믿으면 안 됨, 이유는 거의 맞지 않고 또 추상적이다. 그리고 흉살(凶殺)도 들었는가 여부도 포함시키지 않았고 단지 단편일률적인 사주격국(四柱格局)과 추상적(追想的)인 표현들이라 맞지 않으니 재미로만 보아라.

ex. 그리고 운명이나 운세를 잘못 보면 안 보느니만 못하고, 실패만 따를 수 있다. 〈즉, 처음 사업하는 사람이 잘못, 망할 운에 사업해도 된다고 해서, 사업을 차렸다가 망하면, 자못 큰 손실이 되서 빚더미에 올라 앉을 수 있다.〉

2021. 1. 11. 한음도사(韓音道士, 역학9단) 강성근 作筆

┃ ☆사주 부부 이별살인 충살(冲殺)☆

(중요사항을 모든 사람이 알기 쉽게 풀어 썼으니 천천히 읽어 보시면 도움 될 것입니다)

子午(충), 丑未(冲), 寅申(충), 卯酉(충), 辰戌(冲), 巳亥(충) 이렇게 사주지지(四柱地支)의 충살(冲殺)이 있다. 그리고 사주에서 충살의 뜻은 "깨다, 깨부수다, 충돌하다, 싸우다"의 뜻으로, 이동과, 싸움과, 제거와, 아주 크게 부부이별(夫婦離別)에 쓰인다.

충살 있는 사주

시	일	월	년
丁 편인	己	丁 편인	庚 상관
卯 편관	酉 식신	亥 정재	子 편재
火,木	土,金	火,水	金,水
육해살, 충살	도화살, 문창성	망신살	장군, 천을귀인

ex. 위 사주표 〈일지酉 + 시지卯 = 충살(冲殺)임.〉

(가) 이와 같이 사주팔자(사주 8글자)가 있다면, 일지(자신이 태어난 날 지지)와 시지(자신이 타고난 날의 시의 지지)의 지지(地支)가 서로 나란히 연계해서 충(冲)살이 붙어 있든가, 또는 일지(日支)와 월지(자신이 타고난 달의 지지)가 서로 나란히 연계해서 충살(冲殺)이 붙어 있든가 하면, 인생행로에서 크게 작용해서 부부이별(夫婦離別)하게 된다. 얼마나 많게 강력하게 작용하는가 하면, 이 살을 위 사항과 같이 타고난 사람

들은 미혼 때는 그렇다고 하더라도, 정식 결혼해서 살면서 10명에 7명은 부부가 완전히 이혼하든가, 또는 별거(別居)하든가 하게 된다. 그렇게 강력하게 작용한다.

그럼 어떨 때 이별하게 되느냐 하면, 일지(日支)를 기준으로 시지나 월지가 사주에 있는 같은 글자와 똑같은 글자인 충살이 충해오는 해(年)나, 그리고 또는 사주대운(四柱大運)에서 똑같은 충살이 들어오는 때에 흉액(凶厄)을 당하여 부부이별 하게 된다. 그리고 또 사주에 운(運)이 매우 나쁘게 들어올 때도 부부이별 하게 된다. 그러니까 이 충살(冲殺)을 자신의 사주팔자에 윗 사항가 같이 타고난 사람들은 매우 심히 주의 해서 살아야 된다.

(나) 너무 강력하게 이별을 관장하여, 이 살을 위 사항과 타고나면, 사람의 힘으로서도 피하기 힘들게 되고, 정식 부부이별, 또는 이별이나 마찬가지인 별거를 하게 된다(10명에 7명의 퍼센티지임).

ex. 그럼 이상과 같이 알기 쉽게 자세하게 쓴 서론을 마치니, 미혼의 모든 남녀들이나 그 부모님들은 참고하시기 바랍니다.

2021. 1. 7. 한음도사(韓音道士, 역학9단) 강성근 作筆

▎ 사주(일명 성병살)

子卯 – 相刑殺論(자묘 상형살론, 일명 성병살)

오늘은 일명 사주 성병살(性病殺)에 대하여 논하겠다.
사주운명가들도 모르는 사람들이 많아서 여기에 피력한다.

자묘(子卯)는 상형살(相刑殺)이라고들 알고 있고 또 뜻도
무례지형(無禮之刑)이라서 그냥 예의가 없고, 안하무인이고
독선적이고 자기만 생각하고 이기적이다. 그리고 액운을 당
할 수 있고, 일이 잘 안 풀릴 수 있다. 그런 등등으로만 알
고 있는 사람들이 대부분이나, 이 살의 속 깊은 곳에는, 나
쁜 기운(氣運)인 비뇨기과계 질환이 내포하여 있어서, 요도
염, 방광염, 산액(産厄)=요건(산부인과)을 주의하여야 된다.
그리고 신장염까지도(내과) 주의해야 된다. 그러나 무엇보다
도, 특히 주의해야 될 병은 성병(性病)이다.

그럼 어떻게 사주격국에 타고나야 이 살의 흉해 작용이
일어나는가 하면, 일지(자신이 타고난 날의 육십갑자 글자의 아랫
자)와 연계하여 시지(자신의 타고난 날 시(時)의 육십갑자 글자
의 아랫자)에 서로 연계되어 들어서 형살을 이루든가, 아니
면 일지와 월지(자신이 타고난 달(月)의 육십갑자 글자의 아랫
자)가 연계(聯繼)해서 즉, 자묘(子卯) 요렇게 글자가 옆에 붙
어서 연계해서 들어있으면 흉해(凶害)가 발생하는데, 어느
때인고 하면 이 사주팔자에 들은 자묘(子卯)형살과 똑같은

글자가 들어오는 년(年)나 또는 사주대운(四柱大運)에서 재번(다시) 들어올때, 흉해가 발생되고 또 사주 상의 운이 매우 나쁠 때도, 이 살의 작용력인 흉해가 발생한다.

그런데 특별히 주의할 것은 다른 사고들보다도, 살아가면서 특별하게, 성병을 매우 조심하여야 한다. 이 살이 위 사항같이 사주에 일지를 기준으로 연계하여 들면, 평생 성병이 문(門)을 엿보는 격이라서, 한번 성병에 걸리면 고쳐도 재발되고 고쳐도 또 재발되고, 그렇게 된다.

그리고 무엇보다도 이 성병살이 사주에 위 사항같이 들은 사람은, 아주 못 고치는 성병 즉, 에이즈도 조심해야 된다. 그러니까 이 살이 사주에 들어있는 사람은 될 수 있으면 바람을 피우지 말고, 상대 배우자만 생각하고 살아야 되고, 총각 처녀 때도 될수록 바람을 피우지 말고, 조신하고 있다가, 배우자 만나서 결혼해서 바람을 피우지 말고, 상대 배우자만 바라보고 살아야 된다. 괜히 딴생각하다가 문을 엿보는, 나쁜 성병에라도 걸리는 날에는 평생 약 먹고 치료받으며 도 닦는 스님, 비구니처럼 차가운 인생을 살아가야 한다. 꼭 참고하고 숙지할지어다.

그러니까 나쁜 살(凶殺)을 타고난 사람들은 나쁜 살 안타고난 사람들에 반해, 나쁜 살이 의미하는 해당 사항들을 더욱 더 주의하며 살아가야 된다.

그럼 이만 아실 것이라 생각하고, 이것으로 성병살의 서론(敍論)을 마치겠습니다. 성병살 들은 사람들은 꼭 참고하시고, 숙지하시고 살아가는 것이 인생에 이로울 것입니다.

2021. 1. 4. 한음도사(韓音道士, 역학9단) 강성근 筆

▌ ☆사주, 용신(用神)별 직업, 학과 사항표☆

用神 (용신)	직업	학과
比肩 (비견)	독립사업, 분리사업, 체육인, 건축인, 납품업, 변호업, 운수업	인류학, 인구학, 사회학, 정치학, 건축학, 노동문제 연구 등
劫財 (겁재)	투기업, 증권업, 운송업, 부동산업, 일수업, 세무업, 형사, 동업불가	범죄학, 사회복지학, 외교, 신문방송학, 체육학과, 고용문제 등
食神 (식신)	식품업, 도매업, 금융업, 서비스, 주식업, 보육업, 양식업, 봉재업, 자영업, 농축업, 연예인	경영학, 경제학, 식품학, 영양학, 의약학, 농임업학, 사회학 등
傷官 (상관)	변호인, 대변인, 비평가, 발명가, 골동품, 오퍼상, 수리업, 방송인, 문필가, 예능인, 학원, 언론인, 의복술, 기능직	교육학, 음악, 기상학, 심리학, 철학, 언론, 첨단학 등
偏財 (편재)	무역가, 부동산업, 사업가, 약재업, 금융업, 생산업, 유통업	경영학, 무역학, 금융학, 부동산학, 화폐, 복지학 등
正財 (정재)	공업, 상공업, 경리, 경영, 금융, 생산업, 건축, 제과업, 근면 요하는 직업	경제학, 재정, 회계학, 경리, 계획, 설계, 통화론 등
偏官 (편관)	군인, 변호사, 경찰, 용업사업, 관리책임자, 중개인, 특수직, 무관	법학, 군사학, 노동문제연구, 병균학, 질병학, 종교학 등
正官 (정관)	정계, 학계, 참모기획공무원, 행정관, 포목, 양품점	헌법, 행정법, 상법, 국사학 등
偏印 (편인)	예술직, 의사직, 작가, 요리업, 종교업, 출판업, 학원업, 언론가, 음양가	교육계, 이공계, 예체능계, 연극영화학, 종교철학, 물리학, 고고학 등
印綬 (인수)	교육학, 종교철학, 발명가, 사서직, 산업, 생산직, 통역, 복지사업	국어, 국사, 역사, 철학, 고고학, 정치학, 심리, 윤리, 식품, 동물, 농학, 기상학, 지리학 등

2020. 12. 9. 한음도사(韓音道士, 역학9단) 강성근 筆

중요함★

〈썸머 타임 표〉

연 도	시 작	종 료
1948년	6월 1일 0시	9월 13일 0시
1949년	4월 3일 0시	9월 11일 0시
1950년	4월 1일 0시	9월 10일 0시
1951년	5월 6일 0시	9월 9일 0시
1955년	5월 5일 0시	9월 9일 0시
1956년	5월 20일 0시	9월 30일 0시
1957년	5월 5일 0시	9월 22일 0시
1958년	5월 4일 0시	9월 21일 0시
1959년	5월 3일 0시	9월 20일 0시
1960년	5월 1일 0시	9월 18일 0시
1987년	5월 10일 02시	10월 11일 03시
1988년	5월 8일 02시	10월 9일 03시

ex. 보는 법: 예를 들어, 시작되는 날이 1987년 5월 10일 02시라면 02시를 03시로 한 시간을 앞당겨서 시간을 정해 놓고, 또 종료하는 날이 10월 11일 03시라면 03시를 02시로 원상복구 해 시간을 맞춰 놓는 것이다.

〈이렇게 세심히 설명하였으니, 지금 세대들 모두 잘 아시 겠지요?〉

ex. 이것은 사주팔자 태어난 시간을 정하는 데 매우 극히 중요하니 꼭 참고하여 보아야 한다. 썸머타임 시간을, 원 시간으로 고쳐서 사주팔자를 보아야 되지, 만약에 썸머타임 시간을 원래 시간으로 고치지 않고, 사주팔자 시간을 정하여 보면, 다른 사람의 사주팔자가 되니까 100% 틀리게 운명을 보게 된다. 그러니 썸머타임 시간을 꼭 원래 시간으로 돌려서 사주팔자 시간을 정하고 보라. 이제는 무슨 말인지 알겠지요? 이 학문을 취미나 전문적으로 배우는 사람들은 필(必)히 참고하고 참작하여 보아야 한다. 괜히 잘못 시간을 정하고 보면, 사주팔자를 다 틀리게 보게 되는 것이니, 아니 봄만 못하다. 이제는 제대로 알겠지요?

ex. 그러면 이것으로써 모든 서론을 마치며, 꼭 취미로나 아니면 처음 이 학문으로 들어선 후학(後學)들은, 필(必)히 꼭 참고하고 참작하시기를 바랍니다.

2021. 5. 22. 한음도사(韓音道士, 역학9단) 강성근 筆

█ 주식(株式)으로 돈 벌 수 있는 사주팔자

〈남자 사주(男命)〉 60년, 음력 1월 26일, 未時

시 주	일 주	월 주	년 주
癸상관	庚	戊편인	庚비견
未인수	辰편인	寅편재	子상관
(水, 土)	(金, 土)	(土, 木)	(金, 水)
천살, 천을귀인	화개살	역마살	장성살

〈사주 대운(大運)〉표

丙편관 (74)	乙정재 (64)	甲편재 (54)	癸상관 (44)	壬식신 (34)	辛겁재 (24)	庚 비견 (14)	己인수 (4)
戊편인 (79)	酉겁재 (69)	申비견 (59)	未인수 (49)	午정관 (39)	巳편관 (29)	辰편인 (19)	卯정재 (9)

ex. 이 사주는 남자 사주팔자로서, 월지(月支)에 편재(偏財)가 있고 또 신강사주(身强四柱)이다. 그리고 년지(年支)와 시천간(時天干)에 있는 2개의 상관(傷官)이, 월지(月支) 편재를 생(生)하고 있어서 좋고 아름답다. 즉, 상관 생재격(傷官生財格)에, 월지 편재가 생을 받고 있어서 필(必)히 용신(用神)이 될 수 있다. 즉 신강재강(身强財强)한 사주팔자이다.

그리고 이러한 편재가 강하고 용신이 되는 경우에는, 주식투자(株式投資)를 하여서 돈을 벌 수 있고 실제로도 돈을 벌었다. 〈그럼 어느 때 주식투자 하여 돈을 벌 수 있는가? 34세부터 38세 사이, 임(壬)식신(食神)운과, 44세부터 48세 사이 계(癸)상관(傷官)운과, 54세부터 58세 사이 갑(甲)편재(偏財)운과, 59세부터 63세 사이 신(申)비견(比肩)운에 주식투자로서 돈 벌 수 있는 운인데, 신(申)은 왜 비견(比肩)운인데, 돈 벌 수 있느냐 하면, 사주 격국에 있는 년지 자(子)와 일지 진(辰)과, 대운 신(申) 이렇게 3글자가 합쳐져서 강력한 삼합(三合)국(局)이 되었다. 그리고 삼합국이 수(水)국이므로 수국(水局)은 이사주에서 상관국(傷官局)이 되고, 또 상관국의 수(水)가 월지 인목(寅木) 편재를 생(生)하여, 상관생재(傷官生財)가 되고, 또 좋게 되어서, 주식투자로써 돈을 벌 수 있게 되었다.

만약에 신약사주(身弱四柱)였거나, 삼합 수국이 되어서 신약해 졌다면, 돈을 벌기는커녕, 있는 돈도 투자하여, 다 까먹게 되는 환난(患難)이 일어나게 된다. 꼭 참고하라. 그리고 64세부터 68세 사이는, 을(乙) 정재(正財)운이라도 년간(年干)에 경(庚)의 비견이 있고, 또 일간(日干)의 경(庚)과 합해서 2개의 경(庚)이 하나의 대운 을목(乙木) 정재와 합하려는 투합(妬合)이 일어나고, 그래서 사주가 난잡(亂雜)해지고 또 재물 경쟁(競爭)도 일어나므로 해서 그때는 돈을 벌 수 없다. 참고하라.

그리고 69세부터 73세까지는, 신강사주에, 돈 나가는 겁재(劫財)운이고, 또 양인(陽刃)운이 되므로 아주 나쁘다. 신강사주에 양인운이 오면 싸움 일어나고 재산 탕진하고, 심하면 피 흘리는 운이다. 참고하라.

※정재(正財): 정직하게 버는 돈이고, 대체로 알뜰히 모으는 돈인데, 정재가 사주에 하나만 있던가, 사주에 정재가 있

어도 약하게 한계가 있는 사주는 주식 같은 투기성으로는 돈을 벌 수 없다. 〈그러나 정재라도 사주에 2개가 있고 그 뿌리가 튼튼하면, 그때는 편재(偏財)로도 볼 수 있으므로 운이 좋을 때, 주식투자가 가능하고 돈도 벌 수 있다.〉

※또 사주 내에 정재도 없고 편재도 없고 재(財)가 들지 않은 사주들은 주식투자는 하지 말아야 되고, 해보았자, 매번 실패하고 돈만 까먹는다. 〈또 사주에 재(財)가 들었어도, 겁재(劫財)가 사주 내에 2개 내지 3개가 들어있고, 뿌리가 있어서 강(强)하면 주식에 투자하는 족족 실패하여 돈만 탕진하고 망한다.〉

※그리고 또 사주에 인수(印綬)가 2개 정도가 있으면서 강하고 용신(用神)이 된 경우에는 학자(學者) 팔자라서 대학교수나, 교육계통에 몸담거나, 문학가(文學家)가 되는 팔자이므로, 주식투자는 안 하는 것이 좋다. 즉 돈을 잘 다루지 못하는 명(命=팔자)이라서 실패하고, 명예(名譽)에 손상만 된다.

〈인수(印綬)= 정인(正印)이라고도 함. 참고 바랍니다.〉

ex. 그럼 이것으로써 주식투자 여부로, 돈을 벌거나, 돈을 벌 수 없고 실패하는 사주팔자에 대하여 피력한, 모든 서론을 마친다. 참고하고 참작하십시오.

2021. 3. 29. 한음도사(韓音道士, 역학9단) 강성근 作筆

▌경제 범죄 일으키는 사주팔자

〈모르는 운명가들도 많아서 피력(披瀝)한다.〉

*참고사항 — 정재(正財), 편재(偏財) 사주에서의 뜻= 재물, 돈, 부동산, 동산, 종(하인)

〈참고할 재다신약사주〉

시	일	월	년
壬 편재	戊	丁 인수	庚 식신
子 정재	申 식신	亥 편재	子 정재
水, 水	土, 金	火, 水	金, 水
장군살	지살, 문창성	망신살	장군살, 문창성

(1) 그럼 어떤 사주팔자가 경제범죄를 일으키는가? 내 30년 이상의 경력으로 말하겠다. 사주팔자 8글자에 재(정재, 편재)가 4개 이상으로 많고, 구조하는 신(神) 즉 비견(比肩), 겁재(劫財)가 없어서, 사주가 신약(身弱)할 때를 재다신약(財多身弱)사주라 한다.

그런데 위와 같은 사주팔자를 타고난 사람들은 남녀 공히 돈에 대한 집착(執着), 즉 돈, 재물 욕심이 너무 강하고 많아서 운이 나쁠 때(사주에 년운이나 대운에서 또 정재나 편재가 들어올 때, 또는 정관(正官)이나 편관(偏官)이 들어올 때)에 경제 범죄를 일으킨다. 그럼 어떻게 일으키느냐 하면,

（가) 위 사주팔자들이 남의 회사에서 경리 관계나 재무관계의 일을 하는 사람들은 회삿돈을 수천만 원에서 많게는 100억 이상의 돈을 횡령(橫領)하여 회사가 자못, 작은 회사는 부도(不渡)를 맞아서 휘청하여 회사가 어려움에 처하게 될 수 있다. 〈횡령한 돈은 모두 주식이나 도박에 투자하여 실패하고, 거의 다 탕진하여, 잡아도 회수가 불가능하다.〉 형사처벌만 가능하다.

（나) 그냥 상업(음식점, 주류점, 의류점, 모든 공품점, 상품점 등등)하는 사람들도 위 사주팔자를 타고난 사람들에게 돈 관리하는 일을 맡기면 재물을 반드시 손해(損害)시킨다. 그리고 특별히 주의할 것은 남자가 위 사항과 같은 사주팔자 타고나면 살면서 여자관계 문제를 평생 일으킨다.

（다) 또 주의할 것은 위 사항과 같이 사주팔자를 타고난 사람들은 남의 돈을 작게는 몇백만 원에서 많게는 수억 원을 빌리고도 갚지 않고, 〈이유는 빌려 간 돈을 이미 사업하다 부도나, 주식투자실패, 유흥, 도박 등등으로 모두 탕진하거나, 돈 가지고 멀리 도주하고 잠적하여 못 받게 됨.〉 그래서 사기죄로 형사고소 해서 처벌받게는 할 수 있지만 돈이나 재물은 돌려받을 수 없다. 〈그러하니 일반인들은 꼭 참고하여〉 위 사항과 같은 사주팔자를 타고난 사람들을 절대 경리, 재무관계, 돈이나 재물에 직접적으로 연관된 모든 일을 맡기면 안 된다. 꼭 참고해서 채용하더라도 돈이나 재

189

물과 직접적인 연관이 없는 일이나 시켜라. 이상의 모든 서론을 마치니, 꼭 참고하고 숙지하시기 바랍니다.

ex. 〈사주는 그 개수가 총 518,400개로 매우 많고 방대합니다.〉

2021. 1. 15. 한음도사(韓音道士. 역학9단) 강성근 作筆

첫사랑

초판 1쇄 2022년 6월 7일

지은이 강성근
발행인 김재홍
교정/교열 김혜린
마케팅 이연실
디자인 현유주

발행처 도서출판지식공감
브랜드 문학공감
등록번호 제2019-000164호
주소 서울특별시 영등포구 경인로82길 3-4 센터플러스 1117호{문래동1가}
전화 02-3141-2700
팩스 02-322-3089
홈페이지 www.bookdaum.com
이메일 bookon@daum.net

가격 12,000원
ISBN 979-11-5622-348-1   03810

문학공감은 도서출판 지식공감의 인문교양 단행본 브랜드입니다.

ⓒ 강성근 2022, Printed in South Korea.
– 이 책은 저작권법에 따라 보호받는 저작물이므로 무단전재와 무단복제를 금지하며,
  이 책 내용의 전부 또는 일부를 이용하려면 반드시 저작권자와 도서출판지식공감의
  서면 동의를 받아야 합니다.
– 파본이나 잘못된 책은 구입처에서 교환해 드립니다.